VOCABULAIRE en dialogues

Évelyne Siréjols

Photo de couverture : Eduardo Arroyo, *La lecture*
© BIS/Ph. Jeanbor © Archives Larbor © Adagp, Paris 2007

Direction éditoriale : Michèle Grandmangin-Vainseine
Édition : Odile Tanoh-Benon
Correction : Jean Pencreac'h
Couverture et maquette intérieure : Jean-Pierre Delarue
Mise en page : Alinéa
Illustrations : Jean-Marie Renard
Traduction du lexique : Renee Tordjmann (anglais), Itziar De Miguel (espagnol), Wang Guo Qing (chinois)

© CLE International 2007
ISBN 978-2-09-035223-8

AVANT-PROPOS

Le *Vocabulaire en dialogues* s'adresse à des étudiants, adolescents et adultes, débutant leur apprentissage du français. Il peut être utilisé en classe, en complément des méthodes mais aussi en autonomie. Il permet d'étudier dans une approche communicative le lexique de la vie quotidienne à travers 23 thèmes courants et variés comme la politesse, le vocabulaire de la classe, la famille, les loisirs, le sport, les sorties...
Dès les premiers chapitres, cet ouvrage propose de travailler le contenu lexical des unités de n'importe quelle méthode de niveau 1.

Chaque chapitre présente la même structure :
- **une page de dialogues** réalistes et plaisants, qui mettent en situation à travers des faits de la vie quotidienne des personnages variés par leur âge, leur catégorie socio-professionnelle, et donc par leurs préoccupations. Le contenu grammatical de ces dialogues est léger pour permettre aux apprenants de se concentrer uniquement sur les nouveautés lexicales. Ces dialogues sont enregistrés sur **un CD** qui se trouve dans le manuel;
- **une page et demie d'explications** pour découvrir et approfondir le vocabulaire et les actes de paroles du chapitre. Ces explications sont rédigées dans une langue simple, elles se présentent aussi sous forme d'**illustrations**, de tableaux, d'oppositions et à travers de courts échanges liés au thème central;
- **une page et demie d'exercices** pour s'entraîner à l'emploi de ce lexique nouveau. Ces exercices sont présentés dans un ordre de difficulté progressive, mais toujours accessibles à des débutants. Variés, ils permettent de pratiquer le travail du lexique mais aussi des phrases indispensables à la communication quotidienne. Une **activité** plus libre est proposée à la fin de chaque chapitre.

Cinq bilans de deux pages permettent de vérifier et d'évaluer les aquisitions lexicales des chapitres précédents.

À la fin du livre, un **lexique** français traduit en anglais, espagnol et chinois offre à l'apprenant la possibilité de vérifier le sens d'un mot. Il permet la contextualisation de chacun des termes indexés.

Le corrigé de tous les exercices des chapitres comme des bilans se trouve également à la fin du manuel.

SOMMAIRE

LA CORRECTION

Le professeur : Bonjour !

Les étudiants : Bonjour madame.

Le professeur : On va corriger les exercices. Qui veut venir au tableau ?

Paul : Moi, je veux bien.

Le professeur : Très bien, Paul. Vous me donnez votre cahier ? Merci. *(À une autre étudiante.)* Valérie, vous lisez la première question ?

Valérie : « Comment vous vous appelez ? »

Le professeur : Merci Valérie. Paul, vous écrivez la réponse au tableau ?

Paul : Oh, je n'ai pas de craie.

Le professeur : Tenez, voilà.

(Paul écrit au tableau.)

Le professeur : Emmanuel, vous pouvez lire la réponse de Paul, s'il vous plaît ?

Emmanuel : Je m'appelle monsieur Dubois.

Le professeur : Emmanuel, « je m'appelle, » avec un « l » ou deux « l » ?

Emmanuel : Avec deux « l ».

Le professeur : Vous pouvez épeler ?

Emmanuel : « m » apostrophe – « a » – 2 « p » – « e » – 2 « l » – « e ».

Le professeur : Très bien, Emmanuel ; Amélie, vous pouvez répéter la réponse ?

Amélie : « Je m'appelle monsieur Dubois. »

Le professeur : Bien. On continue l'exercice…

LEÇON 4 : « AU RESTAURANT »

Le professeur : On commence. Écoutez ce dialogue. *(Une minute plus tard.)* C'est où : dans la rue, à la maison, dans un restaurant ?

Amélie : C'est dans la rue.

Le professeur : Vous êtes d'accord, c'est dans la rue ?

Paul : Non, c'est dans un restaurant.

Le professeur : Oui, très bien, c'est dans un restaurant. Anne, fermez votre livre, s'il vous plaît. On écoute encore l'enregistrement. Il y a combien de personnes ?

(Quelques minutes plus tard.)

Amélie : Il y a quatre personnes.

Le professeur : Maintenant, vous avez compris le dialogue ; ouvrez votre livre page 12 et regardez le dessin. Qu'est-ce qu'on voit ?

Emmanuel : Deux hommes et une femme dans un restaurant. Il y a un *waiter*.

Le professeur : Comment on dit *waiter* en français ?

Emmanuel : Je ne sais pas.

Le professeur : On dit « serveur ». Prenez votre cahier et écrivez : « un serveur ». Vous comprenez, « un serveur » ?

Amélie : Oui ! Moi, mon frère est serveur ; il travaille dans un super restaurant.

DANS UNE CLASSE, IL Y A : un professeur, des élèves (m/f) ou des étudiants (étudiantes).
Il y a aussi : un tableau (pour écrire), un bureau (pour le professeur), des tables *(f)* et des chaises *(f)* (pour les élèves), une télévision, un lecteur de cassettes, de CD.

ON UTILISE un livre ou un manuel (pour lire, pour apprendre), un cahier (pour écrire, pour faire des exercices), un crayon, un stylo, une gomme, une règle, une cassette, un CD (pour écouter des **dialogues**). On écrit au tableau avec une craie ou un marqueur. On écrit dans un cahier avec un crayon ou un stylo.

LES ACTIONS

lire (un livre, un **texte**, un dialogue)
écrire (un **mot**, une **phrase**, une question, une réponse)
poser une question, demander à quelqu'un
répondre à quelqu'un ; donner la réponse à quelqu'un
parler, **répéter** (= dire encore)
écouter un dialogue, une cassette
faire/**préparer un exercice**
corriger, faire la correction
épeler (= dire les lettres d'un mot)
regarder, **observer** (= regarder très bien)
comprendre une leçon, un exercice, une explication, un mot
apprendre une leçon
faire un devoir (à la maison, pour la prochaine classe)

lire — écrire — poser une question — répondre
parler — écouter — regarder — faire un devoir

LES PHRASES DU PROFESSEUR

Qui est ***absent****? (= n'est pas dans la classe)*
Prenez votre livre.
Ouvrez votre livre à la page 12.
≠ Fermez votre livre.
Regardez le dessin, la photo.
Lisez le texte, le dialogue.
Écoutez le dialogue, le CD, la cassette (encore une fois).
Répétez. Vous pouvez répéter.
Écrivez (dans votre cahier).
Épelez/Vous pouvez épeler ce mot, cette phrase.
Vous comprenez (un mot, une phrase...)?
Parlez plus ***fort****.*
Posez/Vous pouvez poser une question.
Qui peut répondre? Quelle est la bonne réponse? Qui peut donner la réponse?
Qui veut lire?
Faites/Préparez l'exercice numéro 1.
Travaillez *seul* (= une personne),
deux par deux (= avec votre voisin[e]),
en petits groupes (= à 4 ou 5 étudiants).
Vous avez fini? C'est fini?
Qui veut corriger l'exercice? Qui veut faire la correction?
Vous comprenez ... ? Qu'est-ce que ça veut dire? Comment on dit ... en français?
*J'****explique*** *le mot ...*
C'est (très) bien!

LES PHRASES DE L'ÉLÈVE

J'ai un livre, un stylo.
≠ Je n'ai pas de livre, de stylo...
Je ne sais pas écrire... Comment on écrit... Comment on dit... en français?
Qu'est-ce que c'est? Qu'est-ce que ça veut dire?
Je ne comprends pas. ≠ Je comprends....
Vous pouvez répéter, s'il vous plaît?
Parlez ***moins vite****.*
Je n'ai pas fait l'exercice.

1 Relevez dans les dialogues les noms des objets de la classe et les actions dans la classe.

Objets: ____________________

Actions: ____________________

2 Classez ces mots dans la bonne colonne (parfois plusieurs réponses sont possibles).
un marqueur – une cassette – un mot – un livre – un dessin – un dialogue – un cahier – la télévision – un CD – une craie – un crayon – une question – un stylo – un texte – une réponse

Pour écrire	Pour lire	Pour regarder	Pour écouter
un marqueur...	______	______	______

3 Faites une croix devant les phrases du professeur.

1. ☐ Je n'ai pas fini l'exercice.
2. ☐ Comment on écrit «bonjour»?
3. ☒ ***Qui veut lire?***
4. ☐ Répétez, s'il vous plaît.
5. ☐ Je ne comprends pas.
6. ☐ Je ne sais pas écrire «au revoir».
7. ☐ Vous comprenez?
8. ☐ Prenez votre cahier.
9. ☐ Je n'ai pas de stylo.
10. ☐ Ouvrez votre livre page 5.
11. ☐ Qu'est-ce que ça veut dire?
12. ☐ Qui peut répondre?

4 Remettez ces phrases dans l'ordre.

☞ *Exemple: dans – mot – écrivez – ce – cahier – votre* ► ***Écrivez ce mot dans votre cahier.***

1. des – préparez – questions
2. avec – travaillez – voisin – votre
3. le – ouvrez – page – livre – 5
4. dialogue – écoutez – ce
5. la – apprenez – pour – leçon – mercredi

5 Associez par une flèche les phrases de sens proche.

1. ***Préparez l'exercice deux par deux.*** → f
2. Répondez à la question.
3. Trouvez une question.
4. Vous pouvez répéter ?
5. Je ne comprends pas.
6. Vous pouvez épeler ?
7. Parlez plus fort.
8. Prenez votre livre.

a. Donnez une réponse.
b. Qu'est-ce que ça veut dire ?
c. Je ne comprends pas, plus fort !
d. Comment ça s'écrit ?
e. Posez une question.
f. ***Faites l'exercice avec votre voisin.***
g. Ouvrez votre manuel.
h. Répétez, s'il vous plaît.

6 Associez les questions ou phrases et les réponses.

1. ***Vous pouvez corriger ?*** → b
2. Vous pouvez épeler ?
3. Je n'ai pas de stylo.
4. Vous comprenez ?
5. L'exercice est fini ?
6. Qui peut corriger ?
7. Qui est absent ?

a. Moi !
b. ***Je n'ai pas fait l'exercice.***
c. Non, vous pouvez expliquer.
d. Voilà un crayon.
e. Non, encore une minute, s'il vous plaît.
f. Paul n'est pas là.
g. b – o – n – j – o – u – r.

7 Complétez ces phrases par les mots suivants.

☞ *Exemple : Le professeur corrige l'exercice au* ***tableau****.*

a. *voisin – questions – réponse – explication – dialogue – texte –* ***tableau***

1. Écoutez la question et trouvez la ________________.
2. Préparez l'exercice avec votre ________________.
3. Lisez le ________________ puis répondez aux ________________.
4. Écoutez le ________________ encore une fois.
5. Vous ne comprenez pas ? Écoutez bien l' ________________ .

b. *écoutez – épeler – prenez – regardez – dire – lire*

1. Ouvrez votre livre et ________________ le dessin
2. Vous pouvez ________________ le texte ?
3. Encore une fois : ________________ la question de Marie.
4. ________________ votre cahier et écrivez.
5. Vous pouvez ________________ « au revoir » ?
6. Comment on peut ________________ en français ?

8 Activité. Vous parlez à un(e) ami(e) de votre cours de français. Il (elle) est intéressé(e) et il (elle) pose des questions ; vous répondez.

2 LA POLITESSE

LA VOISINE

(Sur le palier.)
Mme Normand : Bonjour, Victor.
Victor : Bonjour, madame Normand.
Mme Normand : Tu vas bien ? Oh ! Mais tu as un copain aujourd'hui !
Victor : Oh ! oui, c'est Samuel ; on va à la piscine.
Samuel : Bonjour madame.
Mme Normand : Bonjour Samuel. Bon, alors passez une bonne journée !
Samuel : Merci, vous aussi. Au revoir, madame.
Samuel : Qui c'est ?
Victor : C'est ma voisine, elle est très gentille.

LA STAGIAIRE

Le directeur : Mademoiselle Legoff, je vous présente Charles Mangin, notre directeur marketing.
M. Mangin : Bonjour monsieur, bonjour mademoiselle. Vous êtes la nouvelle stagiaire, c'est ça ?
Le directeur : Oui, elle va travailler avec nous en juillet et en août. Elle est étudiante en gestion.
M. Mangin : Vous êtes la bienvenue, mademoiselle.
Mlle Legoff : Merci monsieur, à bientôt.
Le directeur : À tout à l'heure, Charles. Mademoiselle Legoff, je passe devant vous, excusez-moi. Je vais vous présenter Alice, notre assistante.
Mlle Legoff : Je vous en prie.

UN CADEAU CHINOIS

Claire : Pierre, j'ai un petit cadeau pour toi. Ça vient de Chine.
Pierre : Comme c'est gentil ! Qu'est-ce que c'est ?
Claire : Regarde, j'espère que tu vas aimer… Attention, c'est fragile !
Pierre : Oh ! une théière. Elle est magnifique. Merci, ça me fait très plaisir.
Claire : Je t'en prie. Je sais que tu bois beaucoup de thé…
Pierre : Tiens, d'ailleurs, tu veux un thé ?
Claire : Non merci, mais je veux bien un petit café, s'il te plaît.

- **Bonjour** monsieur, bonjour madame.
- Bonjour mademoiselle.

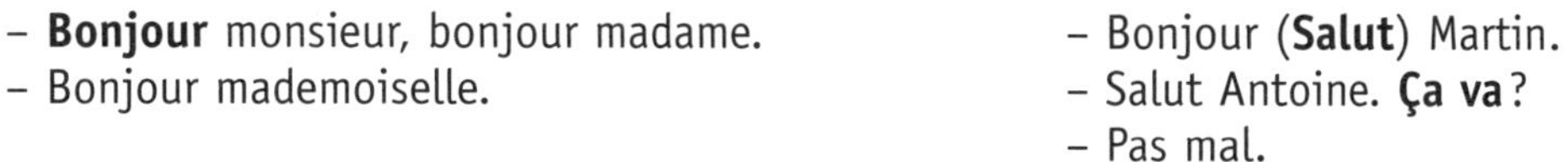

- Bonjour (**Salut**) Martin.
- Salut Antoine. **Ça va** ?
- Pas mal.

- **Bonsoir**, madame Langlet.
- Bonsoir, monsieur Doucet, comment allez-vous ?
- Oh ! ça va, merci, et votre femme ?
- Ça va, merci.
- **À bientôt**, madame Langlet. Et **bonne soirée** !
- À vous également.

- **Je voudrais** une baguette, **s'il vous plaît**.
- Voilà.
- Merci./**Merci bien**.

- Annie, un petit chocolat ?
- **Volontiers** !/**Avec plaisir !**/ **Pourquoi pas** ?/ Merci./Merci bien./ Je te (vous) **remercie** !
- Et vous, Jean ?
- Non merci, c'est gentil.

- **Je vous en prie** !
- **Pardon**/Merci !

- **Excusez-moi** !
- **Ce n'est rien** !

- Oh, je suis **désolée**... **pardon** ! Excusez-moi
- Ce n'est rien./ Ce n'est pas bien grave.

- Merci encore, et **bonne nuit**.
- Rentrez bien. Bonne nuit à vous aussi.

- **Au revoir**, à bientôt !
- Oui, à lundi ! **Bon week-end** !

Remarques

1. On emploie « **tu** » pour les amis, la famille, entre jeunes et parfois au travail. On emploie « **vous** » pour des inconnus, pour des personnes plus âgées que soi, pour les supérieurs hiérarchiques.

2. Pour être très poli, on dit « Je vous prie de m'excuser » mais on utilise plus souvent « Excusez-moi » ou « Désolé(e) », ou « Pardon ».

1 **Relevez dans les dialogues toutes les expressions de politesse.**

2 **Associez les éléments qui vont ensemble.**

1. – ***Bonjour Mme Leroi !***
2. – Comment allez-vous ?
3. – Passez la première !
4. – Je suis désolée !
5. – Bon week-end.
6. – Bonne nuit !
7. – Un peu plus de café ?
8. – Bonjour Julien !
9. – Tu vas bien ?

a. – Salut Nicolas !
b. – Ce n'est rien !
c. – Oui et toi ?
d. – À toi aussi, à lundi !
e. – Très bien merci, et vous ?
f. – Volontiers, merci.
g. – Pardon.
h. – Dors bien.
i. – ***Bonjour M. Dumont.***

3 **Complétez ces échanges avec les expressions suivantes (certaines sont utilisées deux fois).**
*pardon – bonne nuit – au revoir – merci – à bientôt – **bonsoir** – ce n'est rien*

☞ *Exemple : – Bonsoir Michel !*
*– **Bonsoir** Madame !*

1. – Au revoir, Alice.
– ______________ Madame, ______________ !

2. – Passez un bon week-end !
– ______________, vous aussi.

3. – Il est tard, je vais au lit.
– ______________ !

4. – Oh, ______________, je vous ai fait mal ?
– Non, ______________.

4 **Qui dit « tu », qui dit « vous » ? Indiquez la forme convenable (a ou b).**

☞ *Exemple : Marine (5 ans) à sa grand-mère :*
a. Tu me donnes un bonbon, s'il te plaît ? ***b.*** *Vous me donnez un bonbon, s'il vous plaît ?*

1. *Monique (25 ans) à son patron (50 ans) :*
   a. Tu as le numéro de téléphone de M. Albertini ?
   b. Vous avez le numéro de téléphone de M. Albertini ?
2. *Alain Dubois (32 ans) à son collègue de 30 ans :*
   a. À demain, passe une bonne soirée ! **b.** À demain, passez une bonne soirée !
3. *Antoine (12 ans) à Sophie (12 ans) :*
   a. Tiens, prends ma gomme ! **b.** Tenez, prenez ma gomme !
4. *Une femme (40 ans) à un inconnu (40 ans) :*
   a. Tu peux me dire où est la rue de Rennes, s'il te plaît.
   b. Vous pouvez me dire où est la rue de Rennes, s'il vous plaît.
5. *Un voisin à un enfant :*
   a. Range bien ton vélo. **b.** Rangez bien votre vélo !
6. *Un homme à une femme âgée dans le métro :*
   a. Prends ma place, je t'en prie. **b.** Prenez ma place, je vous en prie.

5 **Cochez la ou les bonne(s) réponse(s).**

☞ *Exemple : Il est 23 heures, je quitte un ami, je dis :* ► ☒ ***Bonne nuit.*** ☐ *Bonsoir.* ☐ *Bonne soirée.*

1. On me propose un café, je refuse, je dis : ☐ Avec plaisir. ☐ Merci beaucoup. ☐ Non merci.
2. Vous passez devant une personne, vous dites : ☐ De rien. ☐ Pardon. ☐ Je vous en prie.
3. On vous remercie, vous ajoutez : ☐ De rien. ☐ Je vous en prie. ☐ Excusez-moi.
4. Votre collègue part dîner chez des amis, vous lui dites :
   ☐ Bonsoir. ☐ Bonne soirée. ☐ Bonne nuit.
5. Vous arrivez chez votre cousine, il est 20 heures, vous dites :
   ☐ Bonne soirée. ☐ Bonsoir. ☐ Bonne journée.
6. Vous êtes chez des amis ; vous cassez un verre, vous dites :
   ☐ Pardon ☐ Je suis désolé(e) ☐ Je vous en prie.
7. Vos amis répondent : ☐ De rien. ☐ Ce n'est rien. ☐ Volontiers.

6 **Trouvez une formule polie pour chacune de ces situations.**

☞ *Exemple : On vous propose du sucre pour votre café mais vous buvez le café sans sucre :*
► ***– Non merci, je ne prends pas de sucre.***

1. Un homme vous laisse sa place assise dans le métro : → ____________________
2. Vous poussez quelqu'un quand vous montez dans le bus : → ____________________
3. Il est tard et vous quittez vos amis : → ____________________
4. Vous arrivez chez vos amis pour dîner : → ____________________

7 **Activités. – Vous êtes invité(e) à une soirée. Votre nouvel(le) ami(e) vient avec vous. Vous le (la) présentez. On vous offre une boisson. Jouez la scène.**
– C'est votre anniversaire. Vos amis vous offrent un cadeau. Jouez la scène.

3 LES NATIONALITÉS et LES PROFESSIONS

DANS UNE ÉCOLE DE LANGUES

Sam : Bonjour, tu es étudiante ici ?
Sabrina : Oui, je suis journaliste et j'apprends le français.
Sam : Quelle est ta nationalité ?
Sabrina : Je suis espagnole. Lui, c'est mon ami Igor ; il est russe.
Sam : Bonjour, Igor ; moi, c'est Sam, je suis américain. Et tu fais quoi en Russie ?
Igor : Je suis ingénieur et je fais un stage ici. Et toi, quelle est ta profession ?
Sam : Aux États-Unis, je suis informaticien. Je vous présente une autre étudiante, c'est Neila, elle est indienne. Elle est informaticienne comme moi.
Neila : Bonjour.
Sabrina : Bon, moi j'ai faim. On va déjeuner ?
Igor : Bonne idée !
Sam : Au fait, tu t'appelles comment ?
Sabrina : Sabrina. Tiens, voilà Marco ! Tu viens avec nous ?
Marco : Oh, oui, ma belle, je viens avec toi !
Sabrina : Alors je vous présente Marco. Il est italien et c'est un… devinez… comédien !

À L'AÉROPORT CHARLES-DE-GAULLE

(Deux femmes assises attendent un avion.)
Première femme : Vous êtes francaise ?
Deuxième femme : Non, je suis belge mais j'habite en Suisse. Et vous, vous êtes de quelle nationalité ?
Première femme : Moi je suis canadienne et je vis à Paris. Je vais à Rome. Je suis architecte et je dois travailler là-bas. Vous aussi, vous allez à Rome ?
Deuxième femme : Oui, mon fils travaille à Rome, sa femme est italienne ; c'est une photographe très célèbre : Adriana Tempesta, vous connaissez ?
Première femme : Euh, non… Et votre fils, qu'est-ce qu'il fait ?
Deuxième femme : Maintenant, il est journaliste et il est aussi peintre, il…
Le haut-parleur : Les passagers du vol Air France 321 à destination de Rome sont invités à se présenter porte 15.
Deuxième femme : C'est notre avion, on y va !

LA PROFESSION

Il est...	**Elle est...**	**Ils travaillent...**
étudiant	étudiante	(ils vont/ils étudient) à l'université
professeur	professeur	dans un lycée, un collège – ils enseignent
directeur	directrice	dans une école, une entreprise
vendeur	vendeuse	dans un magasin
caissier	caissière	dans un supermarché
médecin	médecin	dans un cabinet médical, un hôpital
dentiste	dentiste	dans un cabinet dentaire
pharmacien	pharmacienne	dans une pharmacie
infirmier	infirmière	dans un hôpital, une clinique
journaliste	journaliste	dans un journal, à la radio, la télévision
photographe	photographe	dans un studio
informaticien	informaticienne	dans un bureau
ingénieur	ingénieur	dans un bureau d'études, une usine
comptable	comptable	dans un bureau, une entreprise (ils font les comptes)
employé	employée	dans un bureau, une banque, une entreprise
coiffeur	coiffeuse	dans un salon de coiffure
chanteur	chanteuse	dans un cabaret, un théâtre
danseur	danseuse	à l'opéra, dans un théâtre
acteur	actrice	dans un théâtre, sur un plateau de cinéma
peintre	peintre	dans un atelier
architecte	architecte	dans un cabinet d'architecture
gardien	gardienne	dans un musée, un parking, une résidence
ouvrier	ouvrière	dans une usine, un atelier
serveur	serveuse	dans un restaurant, un bar, un café
agriculteur	agricultrice	dans une ferme, à la campagne

Pour demander

- *Qu'est ce que **vous faites** (dans la vie) ?*
- *Qu'est-ce qu'il fait comme **métier** ?*
- *Tu fais quoi ?*
- *Quelle est sa profession ?*
- *Son métier c'est quoi ?*
- *Vous faites quoi comme travail ?*
- *Ton **travail** c'est quoi ?*
- *Tu fais quoi comme métier ?*

Pour répondre

- ***Je travaille** dans la mode, je suis styliste.*
- *Il est dessinateur.*
- *Je suis plombier.*
- *Elle est standardiste.*
- *Elle est secrétaire.*
- *Je suis avocate.*
- *Je suis réceptionniste et comédienne.*
- *Je suis serveuse.*

LA NATIONALITÉ

Il est...	**Elle est...**	**Ils habitent...**	
allemand	allemande	en Allemagne *(f)*...	à Berlin
américain	américaine	aux États-Unis *(m)*...	à New York
anglais	anglaise	en Angleterre *(f)*...	à Londres
belge	belge	en Belgique *(f)*...	à Bruxelles
canadien	canadienne	au Canada *(m)*...	à Montréal
chinois	chinoise	en Chine *(f)*...	à Pékin
colombien	colombienne	en Colombie *(f)*...	à Bogota
danois	danoise	au Danemark *(m)*...	à Copenhague
espagnol	espagnole	en Espagne *(f)*...	à Madrid
européen	européenne	en Europe *(f)*...	à Strasbourg
français	française	en France *(f)*...	à Toulouse
grec	grecque	en Grèce *(f)*...	à Athènes
italien	italienne	en Italie *(f)*...	à Venise
japonais	japonaise	au Japon *(m)*...	à Tokyo
malien	malienne	au Mali *(m)*...	à Bamako
mexicain	mexicaine	au Mexique *(m)*...	à Acapulco
norvégien	norvégienne	en Norvège *(f)*...	à Oslo
portugais	portugaise	au Portugal *(m)*...	à Lisbonne
suisse	suisse	en Suisse *(f)*...	à Lausanne

Pour demander :	**Pour répondre :**
– *Vous êtes de quel* ***pays*** *(m) ?*	– *Je suis du Sénégal.*
– *Tu viens d'où ?*	– *Je viens d'Inde (f).*
– *Vous venez de quel pays ?*	– *Je viens de Tunisie.*
– *Quelle est votre nationalité ?*	– *Je suis autrichienne.* (= Je viens d'Autriche *[f]*)
– *Ta nationalité c'est quoi ?*	– *Je suis russe.* (= Je viens de Russie *[f]*)

1 **Relevez dans les dialogues les questions et les réponses sur la nationalité et la profession.**

Questions sur la nationalité	Réponses sur la nationalité	Questions sur la profession	Réponses sur la profession

2 **Soulignez le mot qui ne va pas dans chaque série.**

☞ *Exemple : allemande – norvégien –* ***grèce*** *– italien – anglaise – belge – espagnole*

1. mexicain – canadienne – italienne – chine – malienne – colombien
2. chinois – américaine – japonais – grèce – portugaise – allemand
3. canadienne – mexicain – danois – europe – norvégien – japonaise

3 **Complétez par « un » ou « une » et barrez le mot qui ne va pas dans chaque série (parfois deux possiblilités).**

1. *un/une* ***secrétaire*** ______ vendeur ______ standardiste ______ employé ______ comptable ______ informaticienne

2. ________ peintre ________ acteur ________ chanteuse ________ agriculteur
________ photographe ________ danseur ________ comédienne
3. ________ vendeuse ________ serveur ________ dentiste ________ coiffeur
________ réceptionniste ________ caissière

4 Devinettes.

☞ *Exemple : Il travaille dans un salon de coiffure,* ► *il est* ***coiffeur****.*

1. Elle travaille sur un ordinateur et elle répond au téléphone, elle est ________________.
2. Ils jouent dans des films, ils sont ________________.
3. Ils étudient à l'université, ils sont ________________.
4. Elle dessine des immeubles, des appartements, des maisons, elle est ________________.
5. Il travaille dans un restaurant ou dans un café, il est ________________.
6. Elle travaille dans un hôtel, à la réception, elle est ________________.

5 Complétez par le masculin ou le féminin.

☞ *Exemple : Jean est acteur et Sophie est aussi* ***actrice****. Ils jouent une pièce au théâtre la semaine prochaine.*

1. Alain est ____________ et Barbara est aussi dessinatrice. Ils travaillent dans la même entreprise.
2. Joseph est agriculteur et sa femme aussi est ______________ ; ils ont une grosse ferme.
3. Alice est ______________ et Pierre est aussi gardien au musée d'Orsay.
4. Manuel est caissier dans un grand magasin et Sabine est ______________ dans un supermarché.

6 Complétez ces phrases par la nationalité qui convient.

☞ *Exemple : Elle est* ***allemande*** *; elle vit et travaille en Allemagne.*

1. Je suis étudiant à Tokyo, je suis ________________.
2. Sacha est ________________, il habite à Moscou.
3. Marina est ________________, elle est vendeuse dans une librairie à Milan.
4. Carlo est ________________, il tient une pharmacie à Barcelone.
5. Ravi travaille comme ingénieur à New Delhi, il est ________________.

7 Activité. Vous étudiez dans une classe de français. Vous présentez les étudiants à votre ami(e) qui vous pose des questions sur leur nationalité et leur profession. En voici la liste :

Samira,	Algérie,	professeur
John,	Angleterre,	journaliste
Nikolaos,	Grèce,	architecte
Paula,	Allemagne,	avocate
Noriko,	Japon,	photographe
Roberto,	Colombie,	employé de banque
Amanda,	Portugal,	secrétaire
Aminh,	Nigeria,	ingénieur
Monita,	Brésil,	danseuse

4 LE CALENDRIER et LES HORAIRES

DANS L'AVION

Le passager : Vous savez à quelle heure on arrive à Paris ?
Sa voisine : Oui, à 6 heures 30.
Le passager : Le matin ou le soir ?
La voisine : Le matin, bien sûr.
Le passager : C'est génial, non ? On part de Hong-Kong le mardi soir à 23 heures 30 et on arrive à Paris le mercredi pour commencer la journée. Après treize heures d'avion...

RENDEZ-VOUS

un carnet de rendez-vous

La cliente : Bonjour mademoiselle, je voudrais prendre un rendez-vous.
L'employée : Oui, pour demain ?
La cliente : Aujourd'hui, ce n'est pas possible ?
L'employée : Désolée, nous avons beaucoup de monde aujourd'hui. Demain, c'est bien ?
La cliente : Ah non ! impossible ; mais je peux venir après-demain dans la matinée.
L'employée : Très bien, alors jeudi matin, à 10 heures. Ça va ?
La cliente : C'est parfait...

QUESTIONS D'ENFANT

Le fils : Maman, c'est quand les grandes vacances ?
La mère : En été. Tu sais, c'est encore loin, il y a encore quatre mois.
Le fils : Pourquoi ?
La mère : Maintenant, on est en février ; après, il y a les mois de mars, avril, mai et juin. Les grandes vacances, c'est en juillet.
Le fils : Ah bon ! et demain, il y a école ?
La mère : Oui, demain, c'est vendredi. Allez, va jouer avec ta sœur ; je dois finir cette lettre !

un calendrier

- une **année** = un **an** = douze **mois** *(m)*

01 janvier	03 mars	05 mai	07 juillet	09 septembre	11 novembre
02 février	04 avril	06 juin	08 août	10 octobre	12 décembre

Tu est né en quelle année ? – Je suis né en 1992.
un **siècle** = cent **ans** *(m)*

- un **trimestre** = trois mois ; un **semestre** = six mois
une année = quatre **saisons** *(f)* :

le printemps l'été l'automne l'hiver

– du 21 mars au 20 juin,	on est **au** printemps,	c'est le printemps
– du 21 juin au 20 septembre,	on est **en** été,	c'est l'été *(m)*
– du 21 septembre au 20 décembre,	on est **en** automne,	c'est l'automne *(m)*
– du 21 décembre au 20 mars,	on est **en** hiver,	c'est l'hiver *(m)*

On est en quoi ? – On est en mars/on est au printemps.
Vous êtes né en quoi ? – Je suis né en hiver, en décembre.

- une année = 52 **semaines** *(f)* = 365 **jours** *(m)*
une semaine = sept jours :

lundi	mardi	mercredi	jeudi	vendredi	samedi	dimanche

On est quel jour aujourd'hui ?/Quelle est la date d'aujourd'hui ?
– Aujourd'hui on est mercredi 10 juin/c'est mercredi 10 juin.
– Aujourd'hui on est le 10 juin/c'est le 10 juin.
Cette semaine :

lundi 8 juin	mardi 9 juin	**mercredi 10 juin**	jeudi 11 juin	vendredi 12 juin
avant-hier	hier	**aujourd'hui**	demain	après-demain

samedi 13 juin : ce samedi
lundi 8 juin : lundi dernier, lundi de **la semaine dernière**
lundi 15 juin : lundi prochain, lundi de **la semaine prochaine**
Tu es né quel jour ?/C'est quand ton ***anniversaire*** *?/Quelle est la date de ton anniversaire ?*
– Je suis né le 22 mars./Mon anniversaire, c'est le 22 mars.
– C'est quel jour, le 22 ?
– C'est un mercredi.

- un jour = vingt-quatre heures *(f)* = la **nuit** + la **journée**
une journée = la **matinée** (de 8 à 12 h) + l'**après-midi** (de 13 à 18 h) + la **soirée** (de 19 à 23 h)

- **Les heures**

une heure = soixante minutes ; une **minute** = soixante **secondes** *(f)*

9 h 30

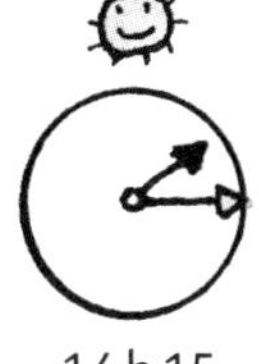
12 h 00 / 00 h 00

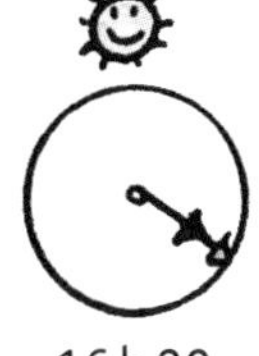
14 h 15

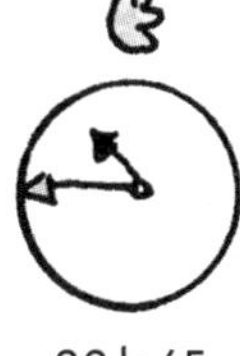
16 h 20

22 h 45

23 h 55

2 h 00

Il est quelle heure ? Vous avez l'heure ?
– Il est 9 h 30 (du matin)/neuf heures trente/neuf heures ***et demie****.*
– Il est ***midi*** *(12 heures).*
– Il est 14 h 15/quatorze heures quinze/deux heures ***un quart****.*
– Il est 16 h 20/seize heures vingt/quatre heures vingt (de l'après midi).
– Il est 22 h 45/vingt-deux heures quarante-cinq/onze heures ***moins le quart*** *(du soir).*
– Il est 23 h 55/vingt-trois heures cinquante-cinq/minuit moins cinq.
*– Il est 00 h/****minuit****.*
– Il est 02 h/deux heures du matin.

Pour les **horaires** officiels (trains, avions, programmes), on utilise « 13 h », « 14 h », « 23 h »... Avec ces expressions, on n'utilise jamais « un quart », « et demie », « moins le quart » et « moins (dix/vingt-cinq/...) ».
Le train part ***à*** *quelle heure ?* ***À*** *quelle heure part ton train ?*
– Il part à 18 h 45 (dix-huit heures quarante-cinq/sept heures moins le quart).
– J'ai le temps d'acheter un magazine ?
– Oui, le train part dans quinze minutes/un quart d'heure.
– Non, il part dans quelques minutes.

Pour aller plus loin
- un (journal) **quotidien** (= on peut le lire tous les jours)
- un (magazine) **hebdomadaire** (= on peut le lire toutes les semaines)
- une revue mensuelle, un **mensuel** (= on peut la/le lire tous les mois)
- une revue **trimestrielle/semestrielle** (= on peut la lire tous les trois/six mois)

an *(m)* / année *(f)*	*Vous avez quel âge ? – J'ai 25 ans.* *Vous avez passé combien d'années au Québec ? – Trois ans/années.* *Tu t'es marié en quelle année ? – En 1989.* *Vous êtes à la fac ? – Oui, je suis en deuxième année d'économie.*
jour *(m)* / journée *(f)*	*J'ai passé trois jours à Nice.* (= le 22, le 23 et le 24) *J'ai passé une très belle journée.* (= de 9 heures à 22 heures)
matin *(m)* / matinée *(f)*	*Je passe te voir demain matin, à 10 heures.* (= moment précis) *Je passe te voir dans la matinée.* (= entre 9 heures et midi)
soir *(m)* / soirée *(f)*	*Dimanche soir, je ne sors pas.* (= date) *Je passe la soirée chez moi.* (= durée)

1 Relevez dans les dialogues toutes les expressions de temps (heure, date, jour, mois, saison).

2 Classez du plus petit au plus grand.

a. ______ une minute – ______ un jour – ______ une seconde – ______ une heure

b. ______ un jour – ______ un mois – ______ une semaine – ______ une année – ______ une saison

c. ______ un trimestre – ______ une année – ______ un semestre – ______ un siècle – ______ un mois

3 Complétez ces séries.

1. mercredi – ***jeudi*** – vendredi – ______________ – dimanche

2. lundi – ______________ – ______________ – jeudi – ______________ – samedi

3. janvier – ______________ – mars – ______________ – mai – ______________

4. décembre – ______________ – février – ______________ – avril – ______________

5. mai – ______________ – juillet – ______________ – septembre – ______________

6. août – ______________ – octobre – ______________ – ______________ – janvier

4 **Associez questions et réponses (plusieurs réponses sont parfois possibles).**

1. *C'est quand ton anniversaire ?*
2. Il est quelle heure ?
3. À quelle heure on part ?
4. On est quel jour aujourd'hui ?
5. Quelle est votre date de naissance ?
6. Vous êtes né quel jour ?
7. Le 30, c'est quel jour ?
8. La réunion, c'est lundi ?
9. On est en quoi ?
10. Vous arrivez quand ?

a. – Le 30, c'est un jeudi.
b. – Le 19 septembre 1978.
c. – ***C'est jeudi prochain.***
d. – On est le dimanche 21 mai.
e. – ***Samedi prochain.***
f. – On est en octobre.
g. – ***C'est en septembre, le 5.***
h. – Oui, c'est lundi prochain.
i. – Il est minuit moins le quart.
j. – On est en août.
k. – Demain matin à 7 heures et demie.
l. – On est en automne.

5 **Quelle heure est-il ? Écrivez l'heure en lettres. Quand c'est possible, mettez les deux formes.**

☞ *Exemple : 13 h 15* ► ***Il est une heure un quart. / Il est treize heures quinze.***

1. 8 h 30 → ______________________
2. 8 h 40 → ______________________
3. 9 h 45 → ______________________
4. 10 h 55 → ______________________
5. 11 h 15 → ______________________
6. 12 h 05 → ______________________
7. 14 h 25 → ______________________
8. 15 h 30 → ______________________
9. 17 h 40 → ______________________
10. 22 h 45 → ______________________
11. 23 h 55 → ______________________
12. 00 h 10 → ______________________

6 Activité. **Regardez les pages de ces deux agendas.**

	Mardi 26	Mercredi 27	Jeudi 28	Vendredi 29	Samedi 30
Martine Lepetit	Déjeuner Mme Boily	11 h 45 : dentiste	Dîner chez Valérie et Michel	20 h : Théâtre	– Pique-nique en forêt – 20 h : repas de famille
Marc Dufour		11 h-15 h : RV à Grenoble	Déjeuner/réunion clients japonais		– 10 h : tennis Dominique – Soirée cinéma

Jouez le dialogue suivant : Marc Dufour veut voir son amie Martine. Il l'appelle lundi 25 mars pour déjeuner avec elle le mardi 26, mais Martine n'est pas libre ; elle doit expliquer et proposer un autre jour.

LA PIÈCE DE FIN D'ANNÉE

La fille : Maman, on a besoin de toi pour les costumes de la pièce de théâtre au lycée. Est-ce que tu as encore le chapeau de grand-père ?

La mère : Euh, je crois, en haut de l'armoire.

La fille : Il faut aussi une jolie robe, un peu longue. Tu as ça ?

La mère : Oui, j'ai une robe rose très jolie, ma robe de bal ; j'avais ton âge. Si tu veux, j'ai aussi des gants blancs, un petit sac en soie et une large ceinture violette pour aller avec.

La fille : Super ! Tu sais, Christophe ne trouve rien chez lui. Il a seulement une cravate, une chemise blanche et un pantalon gris foncé mais il ne trouve pas de veste un peu ancienne. Tu as encore une vieille veste de grand-père ?

La mère : Oui, elle est sûrement avec son chapeau. Mais elle est beige et pas noire. Vous faites bien attention à ces vieux vêtements, ils sont pleins de souvenirs !

La fille : Oui, ne t'inquiète pas. J'appelle Christophe pour lui dire que j'ai une veste et un chapeau. Il va être super content !

AU JARDIN

La femme : Regarde comme le ciel est bleu ! La lumière est magnifique aujourd'hui. Je vais faire un tour dans le jardin. Tu viens ?

Le mari : Bon, d'accord. Mais le petit-déj…

La femme : Oh, il y a beaucoup plus de fleurs : les roses rouges sont magnifiques, et les jaunes, elles sont belles aussi, non ?

Le mari : Oui, tu ne veux pas prendre le petit-déjeuner ? Moi, j'ai faim, il est déjà 10 heures !

La femme : Écoute, prépare le café et apporte-moi des tartines ; moi, je vais peindre. J'ai des nouveaux tubes de couleurs. Bonne idée, non ?

Le mari : Tu crois que c'est le bon moment, vraiment, de commencer un tableau ?

La femme : Oui, tu vas voir. Avec cette lumière, le gros arbre bien vert, le toit de la maison, rouge avec un peu d'orange, les fleurs blanches, les roses jaunes… ça va être magnifique !

(Quelques heures plus tard.)

Le mari : Alors, cette peinture, montre-moi !

La femme : Regarde, c'est presque fini.

Le mari : Oh, je vois bien du rouge, du bleu, du jaune, du vert, du marron, du violet, du noir, du blanc mais je ne reconnais pas notre jardin !

La femme : Mais c'est abstrait, bien sûr ! Moi, je peins la lumière et l'atmosphère…

Le mari : Ah bon, alors je ne suis vraiment pas un artiste !

LES VÊTEMENTS ET LES ACCESSOIRES

Pour un homme

une cravate
une écharpe
une chemise
une ceinture
une veste
manteau
un costume
une casquette
un T-shirt
un pantalon
un blouson
un pull
des chaussures (f)
un short
des chaussures de sport (f) ou des baskets (f)
des chaussettes (f)

Pour une femme

un chemisier
un foulard
un sac
une veste
des gants (m)
une jupe
un chapeau
des lunettes de soleil
un gilet
une robe
des chaussures (f) à talons (m)
des sandales (f)

Remarques. 1. Pour les gants, les chaussures, les chaussettes, les sandales : une **paire** (= 2) de gants, de chaussures, de chaussettes. – **2.** Un **costume** = une veste + un pantalon de même tissu. – **3.** un **ensemble**, un **tailleur** = une veste + un pantalon ou une jupe de même tissu.

Pour caractériser un vêtement

*Cette jupe est **très** courte, mais je la prends.* *Cette jupe est **trop** courte, je ne la veux pas.*

Les matières, les tissus

le **coton**, un jean en coton
la **soie**, un chemisier en soie (de Chine)
le **cuir**, un pantalon en cuir, des chaussures en cuir
la **laine**, un pull en laine
le **lin**, un tailleur en lin

Les accessoires

une ceinture, un sac, une écharpe, un foulard, des gants, des lunettes *(f)* de soleil (noires), un chapeau, une casquette, une cravate

LES COULEURS

bleu/-e comme le ciel, la mer
vert/-e comme les feuilles des arbres, l'herbe au printemps
rouge comme une tomate, le sang
jaune comme le soleil, les bananes
orange comme une orange
noir/-e comme la nuit, comme une cave
blanc/blanche comme la neige, comme les cheveux des personnes très âgées
gris/-e comme un jour sans soleil, comme les toits de Paris
marron comme les pommes de terre, comme les meubles
rose comme la peau des petits enfants, comme un cochon
doré/-e comme le pain, comme l'or
argenté/-e comme la lune, comme les pièces de monnaie
bleu + rouge = **violet/violette** → une jupe violette
bleu + jaune = **vert/-e** → une veste verte
rouge + jaune = **orange** → des chaussures orange
rouge + blanc = **rose** → une chemise rose
blanc + marron = **beige** → une robe beige
noir + blanc = **gris/-e** → une écharpe grise
▲ **Attention :** les adjectifs « marron » et « orange » sont invariables.
Exemple : des gants marron, des sandales orange

Les nuances

– **clair ≠ foncé :** bleu clair (comme le ciel) ou bleu ciel
vert foncé (comme les vieux arbres ou comme les bouteilles de vin)
rouge foncé ou rouge Bordeaux (comme le vin de Bordeaux)
▲ **Attention :** on utilise aussi des nuances à partir des fruits ou d'autres éléments de la nature : jaune citron, rouge framboise, bleu nuit, bleu turquoise, gris souris.
Les adjectifs de couleur alors ne s'accordent pas.
Exemple : des chaussures vert d'eau, des lunettes bleu ciel.
– **vif ≠ pâle :** rose vif (très marqué, fort), vert pâle (très doux, peu marqué).

1 **Relevez tous les noms de vêtements et d'accessoires dans le premier dialogue et toutes les couleurs dans le deuxième dialogue.**

2 **Barrez le mot qui ne va pas avec la série.**

☞ *Exemple : une ceinture – des gants – ~~un chemisier~~ – un foulard – une écharpe – un sac*

1. un pantalon – un short – une jupe – un chapeau – une robe – un manteau
2. une robe – une jupe – un costume – un pantalon – un chemisier – un tailleur
3. un manteau – un pull – une chemise – un short – un T-shirt – des sandales

3 Complétez ces phrases avec les mots suivants.

beige – blanc – orange – verts – blanche – noirs – marron – roses – rouge – bleus

1. Ses yeux sont ____________ comme le ciel, et sa bouche est ____________ comme une fraise. Ses cheveux sont ____________ comme la nuit.
2. Je cherche un sac ____________ pour aller avec mes chaussures en cuir marron.
3. Regarde, le soleil est ____________, il va faire beau demain.
4. La mariée porte une belle robe ____________ et des fleurs ____________ dans les cheveux.
5. Le printemps arrive, les arbres commencent à être ____________.
6. Un costume ____________ c'est bien pour l'été ou tu préfères un costume ____________ plus foncé ?

4 Accordez les adjectifs entre parenthèses.

1. une ________________ *(petit)* robe ________________ *(noir)*.
2. des ________________ *(nouveau)* chaussures ________________ *(orange vif)*.
3. des gants ________________ *(rouge framboise)* en cuir.
4. un ________________ *(grand)* foulard ________________ *(jaune et bleu)*.
5. une ________________ *(beau)* écharpe ________________ *(vert)*.
6. une ________________ *(long)* jupe ________________ *(marron et beige)*.
7. une cravate ________________________________ *(gris clair et bleu)*.

5 Préparez votre sac pour un petit voyage. Qu'est-ce que vous prenez pour aller...

un short en coton – une robe en soie – un chapeau – une écharpe en laine – une chemise – des baskets – une veste courte en laine – un costume – une cravate – un sac – un chemisier – une ceinture – un manteau en laine – un gilet – un blouson en coton – des chaussures à talons – un jean – des chaussettes – des sandales à talons – un pantalon en laine – des chaussures noires – un pull

1. à un mariage, en été (une femme) : ____

____

2. à la campagne, au printemps (un homme) : ____

____

3. à un rendez-vous de travail, en hiver (un homme) : ____

____

4. au bord de la mer, en automne (une femme) : ____

____

5. à une exposition professionnelle, en hiver (une femme) : ____

____

6 Activités.

– Votre ami(e) doit aller à une soirée déguisée. Aidez-le(la) à choisir ses vêtements et conseillez-lui des couleurs.

– Votre jeune frère (sœur) a deux rendez-vous pour un travail pour l'été, dans une banque et dans une agence de photos. Conseillez-lui des vêtements adaptés à ces deux emplois.

Bilan nº 1

1 Qu'est-ce que vous ne pouvez pas faire dans la classe ?

1. ☐ Je peux écouter un dialogue.
2. ☐ Je peux répéter une question.
3. ☐ Je peux jouer dans un film.
4. ☐ Je peux travailler comme caissier.
5. ☐ Je peux poser des questions à mon voisin.
6. ☐ Je peux préparer un exercice.

2 Remettez ces phrases dans l'ordre.

1. pouvez – vous – répéter – plaît – vous – la – question – s'il ? → ______
2. comprends – l' –je – pas – ne – exercice → ______
3. pouvez – épeler – le – vous – mot ? → ______
4. veut – est – ça – qu' – ce – que – dire ? → ______

3 Complétez ces échanges avec les expressions suivantes.

merci – excusez – à lundi – je vous en prie – volontiers – non merci – bonne nuit

1. Minuit, je vais au lit !
   – ______, à demain.
2. Au revoir, madame Dupoux, passez un bon week-end.
   – Vous aussi, ______ !
3. Bonsoir, ______-moi, je suis en retard.
   – J'arrive moi aussi.
4. Tenez, voilà votre sac.
   – ______ mademoiselle.
   – ______
5. Voulez-vous un café ?
   – ______ !
   – Vous prenez du sucre ?
   – ______, pas de sucre !

4 Complétez ces dialogues par des questions ou des réponses.

1. ______ ?
   – Je m'appelle Valérie Magnan.
   – ______ ?
   – Non, je suis suisse.
   – ______ ?
   – À Lausanne, mais je travaille à Grenoble.
   – ______ ?
   – Je suis informaticienne.
2. Votre passeport, s'il vous plaît. ______
   ______ ?
   – Je suis canadien.
   – Vous ______ ?
   – Je viens de New York. Je travaille à New York.
   – Qu'est-ce que ______ à New York ?
   – Je ______ photographe et journaliste.
   – Je ______ pour un magazine de mode.

5 Quelle est la profession de ces personnes ?

1. Véronique travaille dans un magasin de chaussures : elle est ______
2. Alicia travaille dans un supermarché à la caisse : ______
3. Jean enseigne dans une école : ______
4. Mickaël travaille dans un hôpital mais il n'est pas médecin : ______
5. Marina travaille dans un restaurant mais elle ne fait pas la cuisine : ______

6. Sophie est artiste et elle travaille dans un atelier : ____________________

7. Paul travaille à la campagne dans une ferme : ____________________

6 Complétez ces échanges avec les expressions suivantes :

mois – dernière –date – anniversaire – hiver – soirée – prochain

1. Ton ________, c'est quand ? – Je suis née le 22 avril.
2. Quelle est la ________ des vacances ? – Les vacances commencent le 20 décembre.
3. Tes parents arrivent quand ? – Lundi ________, dans la ________.
4. Tu connais Sophie ? – Oui, elle a dîné avec moi la semaine ________.
5. Tu fais du ski en ________ ? – Non, je vais à la montagne au ________ de mars.

7 Soulignez le mot juste.

1. Je vais trois jours - journées à Strasbourg.
2. Mon frère a 25 ans - années .
3. Nous arrivons demain dans le matin - la matinée .
4. J'habite à Hongkong depuis trois ans - années .
5. Monsieur Dufour a un rendez-vous à 18 heures mais il est libre dans le soir - la soirée .
6. Nous avons passé un an - une année très agréable à Madrid.
7. Qu'est ce que tu fais demain soir - soirée ?

8 Complétez ces échanges avec les expressions suivantes :

chaussures – manteau – élégante – vives – claires – chapeau – tailleur – gants – sac – écharpe – robe

1. Vous préférez les couleurs ____________ ou les couleurs foncées ?

   – J'adore le blanc, le beige, le rose et le bleu ciel.

   – Je vois, vous aimez les couleurs pâles mais pas les couleurs ____________ !

2. Ce matin il fait froid, mets ton ____________ et prends une ____________.

   – Oui, je vais aussi mettre des ____________, j'ai toujours froid aux mains.

3. Pour le mariage de Delphine, j'ai une ____________ jaune et blanche assez ____________ et je vais acheter un joli ____________. Et toi ?

   – Moi, je vais mettre mon ____________ beige et je vais m'acheter des ____________ neuves et un ____________ pour aller avec.

9 Remettez les mots dans l'ordre pour faire des phrases.

1. petite – je – noire – une – cherche – jupe
2. porte – robe – elle – jolie – une – longue
3. des – je – cuir – chaussures – en – noires – voudrais
4. en – veste – porte – et – une – une – Aline –orange – laine – jupe

6 L'APPARENCE PHYSIQUE

ANGELINA

Marion : Allô, Manuel, ça va ? C'est Marion, tu ne me téléphones plus…

Manuel : Oui, c'est vrai, je suis très occupé en ce moment.

Marion : Tu as beaucoup de travail ?

Manuel : Eh, oui, comme d'habitude… et j'ai une petite amie.

Marion : Ah bon, elle est comment ? Qu'est-ce qu'elle fait ? Elle travaille avec toi ?

Manuel : Non, je l'ai rencontrée il y a trois semaines chez des amis, en week-end. Elle est professeur d'italien. Elle est superbe !

Marion : Allez, dis-moi, elle est comment : jeune, grande, petite, blonde, brune, rousse ?

Manuel : Elle a entre 25 et 30 ans. Elle est de taille moyenne ; ses cheveux ne sont pas blonds, pas bruns non plus. Elle est magnifique !

Marion : Dis donc, pas facile de l'imaginer… je ne sais pas moi, elle est mince, plutôt sportive, ou un peu ronde ? Elle est jolie, laide ? Elle porte des lunettes, elle a les cheveux courts, longs ?

Manuel : Écoute, vraiment je ne peux pas dire : elle a de grands yeux verts, une belle bouche et de jolies dents, elle a un petit nez ; ses cheveux sont un peu bouclés. C'est une fille merveilleuse…

Marion : Toi, tu es amoureux ! Quand est-ce que tu me présentes cette beauté parfaite ?

Manuel : Je ne sais pas, attends un peu… elle est assez timide, et puis, il n'y a pas longtemps qu'on se connaît.

Marion : Je vois, vous préférez rester tous les deux. Allez, je suis contente pour toi, mais appelle-moi plus souvent !

Manuel : D'accord. Et je te présente bientôt ma copine. Tu sais, elle s'appelle… Angelina !

LA NOUVELLE ASSISTANTE

Mlle Bonnefoi : Allô ? Monsieur Dufour ? Bonjour, je suis la nouvelle assistante, Valérie Bonnefoi.

M. Dufour : Ah oui, vous venez de Guadeloupe et vous arrivez lundi prochain, c'est bien ça ?

Mlle Bonnefoi : Oui c'est cela. J'arrive lundi à 12 heures 33 par le vol AF 322. Est-ce que quelqu'un va venir me chercher ?

M. Dufour : Oui, moi. Mais comment je vais vous reconnaître ? Vous êtes comment ?

Mlle Bonnefoi : Bon, j'ai le teint mat, les cheveux courts et blonds, les yeux bleus. Je suis grande et un peu ronde.

M. Dufour : Vous êtes blonde avec les yeux bleus ? Et vous êtes guadeloupéenne ?

Mlle Bonnefoi : Oui, je viens des Saintes ; chez moi, il y a beaucoup de gens blonds aux yeux clairs.

M. Dufour : Bon, alors je crois que je vous reconnaîtrai. Mais j'aurai un panneau avec votre nom.

Mlle Bonnefoi : Et vous, vous êtes comment ?

M. Dufour : La cinquantaine, les cheveux un peu gris, une petite moustache. Je porte des lunettes. Je suis très mince et plutôt grand. À lundi donc, et bon voyage !

Mlle Bonnefoi : Au revoir monsieur Dufour, à lundi.

Les cheveux

Elle a les cheveux **longs**  et il a les cheveux frisés. Il est **frisé** .

Il a les cheveux **mi-longs** . Elle a les cheveux **raides** .

Il a les cheveux courts . Il est **chauve**  : il n'a plus de cheveux.

Elle est brune : elle a les cheveux **bruns**  (= foncés, noirs ou marron).

Il est blond : il a les cheveux **blonds**  (= clairs).

Il a les cheveux **châtain** (= entre blonds et bruns).

Elle est rousse et il a les cheveux **roux** (= une couleur un peu rouge ou orange).

Ils ne sont pas jeunes. Il a les cheveux gris , elle a les cheveux blancs .

Le visage

Il a les yeux bleus, verts, marron, noirs ; ses yeux sont grands, petits.
Elle a des petites ≠ grandes oreilles.
Son nez est **fin**, **gros** (ou **fort**) ; elle a le nez fin/fort, elle a un gros/long/petit nez...
Sa bouche est **fine**, **épaisse**.
Il a une (petite ≠ grosse) moustache, une (petite ≠ grosse) barbe.
Elle a le visage **rond**, **ovale**, long, petit.
Elle porte des lunettes *(f)*. Il ne porte pas de lunettes *(f)*.

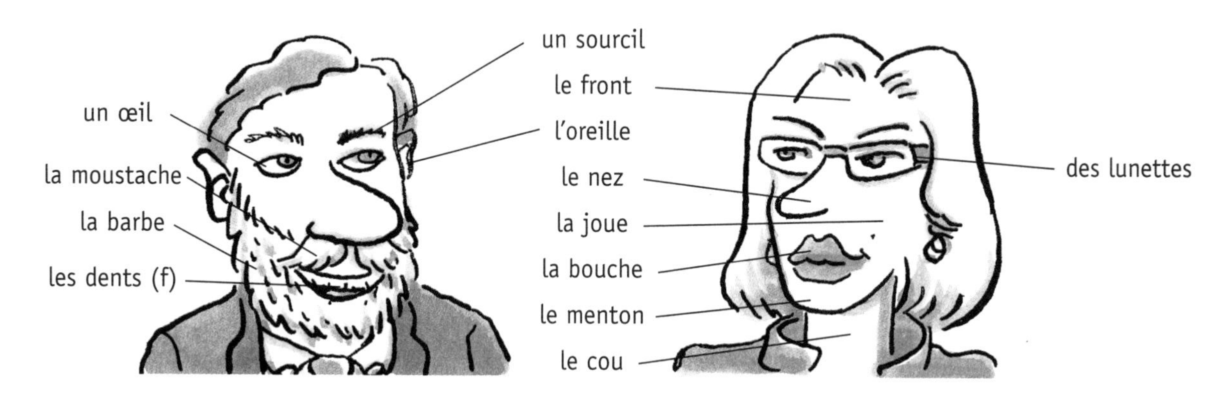

L'allure

Elle est **jolie**. Il est **beau**/elle est **belle**. Il/elle est **magnifique/superbe**.
Elle a le **teint clair/mat**.
Elle a la **peau** claire/mate.
Il est **laid**, il a un vilain nez (= il n'est pas beau, son nez n'est pas joli).
Il a des **taches de rousseur**.
Elle est noire (elle a la peau noire, comme en Afrique).

La taille

Elle est grande :
elle **fait** (= elle **mesure**) 1,75 mètre.
Il est de taille moyenne :
il mesure 1,75 mètre.
Il est petit :
il fait (= il mesure) 1,68 mètre.

La corpulence

Elle est (un peu) ronde :
elle **fait** (= elle **pèse**) 65 kilos.
Elle est forte (= grosse).
Il est un peu **fort** (= gros).
Il est **mince** : il pèse/il fait 69 kilos.
Il est très mince, il est **maigre**
(il fait/il pèse 55 kilos).

L'âge

Il est **jeune**, il a 20 ans/une vingtaine d'années ; c'est un jeune homme.
Elle est **âgée** : elle a 66 ans/elle a une soixantaine d'années ; c'est une femme d'un certain âge.

Expressions pour aller plus loin

Il est maigre comme un clou (= très maigre).
Elle est jolie comme un cœur (= très jolie).
Elle est frisée comme un mouton (= très frisée).
Elle est blonde comme les blés (= très blonde).
Il ne fait pas son âge : il paraît plus jeune.

1 **Relevez dans les dialogues les indications pour décrire Angelina, Mlle Bonnefoi et M. Dufour.**

2 **Écrivez le masculin ou le féminin.**

Masculin	Féminin	Masculin	Féminin	Masculin	Féminin
1. petit	→ ***petite***	9. ______	→ frisée	16. vieux	→ ______
2. ______	→ grande	10. court	→ ______	17. jeune	→ ______
3. ______	→ mince	11. ______	→ longue	18. ______	→ sportive
4. fort	→ ______	12. ______	→ brune	19. ______	→ belle
5. ______	→ fine	13. blond	→ ______	20. laid	→ ______
6. rond	→ ______	14. ______	→ rousse	21. ______	→ jolie
7. ______	→ grosse	15. ______	→ âgée	22. vilain	→ ______
8. raide	→ ______				

3 **Retrouvez le contraire.**

clair – mince – fin – ***grand*** *– court – frisé – rond – blond – âgé*

1. petit → ***grand***
2. brun → ______
3. jeune → ______
4. long → ______
5. gros → ______
6. fort → ______
7. raide → ______
8. mat → ______
9. mince → ______

4 **Classez dans l'ordre croissant de taille et de corpulence. Elle est...**

*un peu ronde – grande – **maigre comme un clou** – un peu forte – fine – petite – de taille moyenne – grosse – mince*

A. La taille (– – → + +)	B. La corpulence (– – → + +)
______	1. ***Elle est maigre comme un clou.***
______	______
______	______
______	______
______	______

5 **Regardez ces trois portraits de femmes.**
Pour chaque description, soulignez ce qui convient.

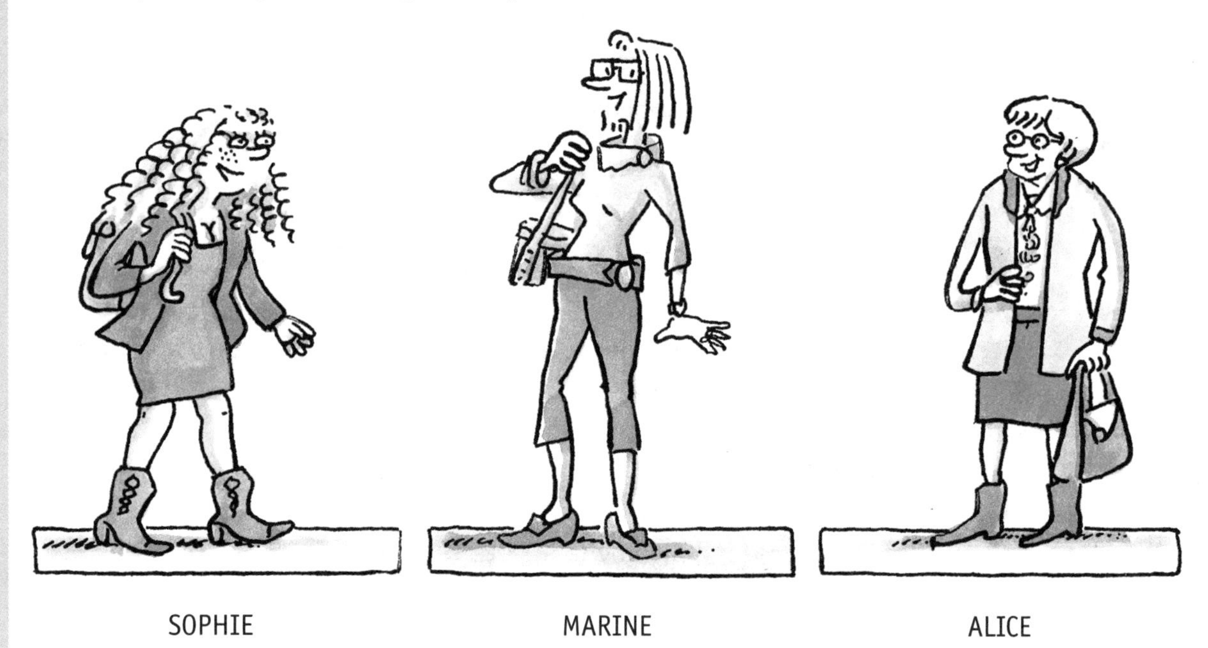

SOPHIE MARINE ALICE

1. a. **Marine** est grande/de taille moyenne/petite, et mince/ronde/un peu forte.
   b. Elle est très jeune/d'un certain âge./Elle a une trentaine d'années.
   c. Elle a les cheveux courts/mi-longs et raides/frisés. Elle est blonde/brune. Elle a les cheveux blancs.
   d. Ses yeux sont petits et clairs/noirs, son nez est petit/long, et elle porte de grosses/petites lunettes.

2. a. **Sophie** est grande/de taille moyenne/petite et mince/ronde/maigre.
   b. Elle a les cheveux longs/courts et raides/frisés. Elle est brune/blonde.
   c. Elle a de petits/grands yeux. Elle ne porte pas de lunettes.
   d. Elle a le teint clair/mat et des taches de rousseur. Elle a une quinzaine/trentaine d'années.

3. a. **Alice** est une femme jeune/d'une soixantaine d'années.
   b. Elle est grande/de taille moyenne et forte/maigre.
   c. Elle a les cheveux longs/courts et blancs/bruns. Elle porte des petites lunettes rondes/ovales.
   d. Elle a le teint pâle/des taches de rousseur. Sa bouche est épaisse/fine.

6 Activité. **Vous avez un nouveau voisin très sympathique. Vous parlez de son physique avec un(e) ami(e) qui vous pose des questions. Vous répondez.**

7 LA FAMILLE

LES PHOTOS DE NOËL

Maxime : Tu veux regarder mes photos de Noël ?
Thomas : D'accord.
Maxime : Là, c'est mon père. Et à côté, c'est Sophie, ma jeune sœur.
Thomas : Ouah, elle est super jolie ! Et à côté, qui c'est ?
Maxime : Ma mère. Elle est pas mal non plus, non ?
Thomas : Eh oui… Et ce grand garçon à côté, c'est ton frère ?
Maxime : Non, c'est Paul, mon cousin. Et là…
Thomas : Bon, ça suffit ; tu ne vas pas me montrer toute ta famille. J'imagine que le vieil homme, c'est ton grand-père et, à côté, ta grand-mère ?
Maxime : Pas du tout, ce sont mon oncle et ma tante. Ils habitent à New York.
Thomas : Là, ça devient intéressant ! Et ils ont une fille ? J'aimerais bien partir une semaine là-bas…
Maxime : Oui, mais ma cousine Valérie est mariée… J'ai aussi un cousin, il s'appelle Sylvain ; lui aussi, il habite à New York. Il est super sympa.
Thomas : Moi, la famille, ça me fatigue un peu ! surtout celle des autres… On fait un jeu vidéo ?

LE MARIAGE DE CHARLOTTE

Cécile : Tu sais, samedi dernier, on est allés au mariage de ma nièce Charlotte, un mariage tout simple et très sympa.
Alice : Et son mari ?
Cécile : Il est adorable ! Il s'appelle Christophe, il est québécois.
Alice : Qu'est-ce qu'il fait dans la vie ?
Cécile : Il finit des études d'ingénieur. Il a de l'humour et il est beau garçon.
Alice : Sa famille est venue au mariage ?
Cécile : Oui. Ses parents, sa grand-mère, sa grand-tante, sa jeune sœur et son beau-frère étaient là.
Alice : Sa sœur est mariée ?
Cécile : Non, son beau-frère, c'est le fils de son beau-père : sa mère est remariée.
Alice : Ah, d'accord. Et la fête ? C'était comment ?
Cécile : Très bien, il y avait la famille proche et les amis.
Alice : Après la mairie, qu'est-ce que vous avez fait ?
Cécile : On est allés dans un joli restaurant à Honfleur, pas très loin de la maison de mon frère ; on a passé une soirée très agréable.
Alice : Donne-moi le numéro de Charlotte, je vais les inviter à dîner : j'ai envie de rencontrer son mari.
Cécile : Oh oui, ça lui fera plaisir, elle t'aime beaucoup, tu sais !

- le père (« Papa ») + la mère (« Maman ») = les parents *(m)*
  Ma mère est la **femme** de mon père et mon père est le **mari** de ma mère.

- Mes parents ont trois **enfants** : deux **fils** (= deux garçons) et une **fille**.
  Moi, je suis le fils **aîné** (= le plus âgé).
  Mes parents ont un deuxième fils : c'est mon **frère**, et ils ont une fille : c'est ma **sœur**.

- le **grand-père**, la **grand-mère** → les **grands-parents**
  le **petit-fils**, la **petite-fille** → les **petits-enfants**
  Les parents de ma mère et les parents de mon père sont mes grands-parents. Et je suis leur petit-fils/petite-fille. Avec mes frères et sœurs et tous mes cousins et cousines, nous sommes leurs petits-enfants.
  Les **arrière-grands-parents** : le père de mon grand-père est **mort**, c'était mon **arrière-grand-père**. Alors, mon **arrière-grand-mère** est **veuve**.

- Mon père a une sœur, c'est ma **tante**. Elle est mariée avec mon **oncle**.
  Mon oncle et ma tante ont deux enfants : un fils, mon **cousin**, et une fille, ma **cousine**.
  Ma mère a deux frères : ce sont mes **oncles**. Le frère de ma mère est marié ; sa femme est aussi ma **tante**.
  Ils ont une fille et un garçon, mes cousins. Mon cousin est le **neveu** de mon père et de ma mère ; ma cousine est la **nièce** de mon père et de ma mère. Ma cousine était mariée mais maintenant, elle est divorcée et elle vit seule.

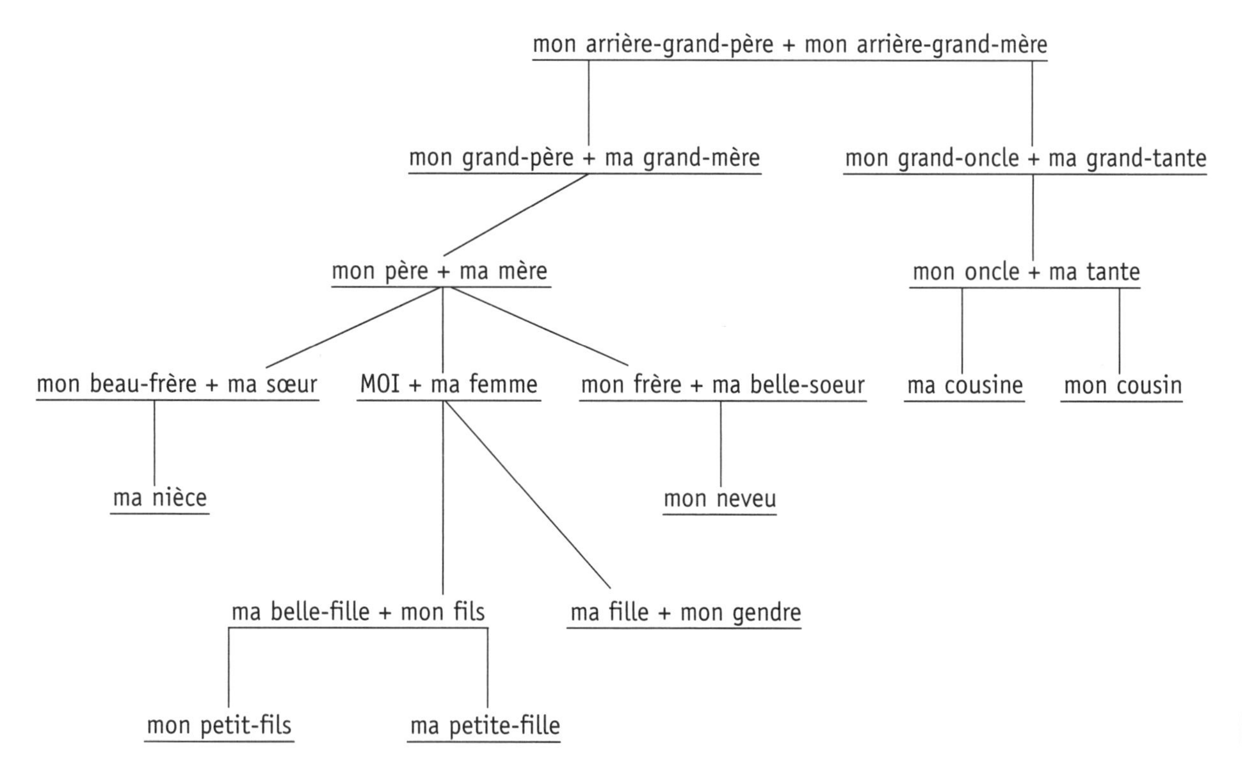

Pour aller plus loin

■ Les parents de ma femme (ou de mon mari) sont mes **beaux-parents** : mon **beau-père** et ma **belle-mère.** Le mari de ma fille est mon **gendre** (ou mon **beau-fils**) ; la femme de mon fils est ma **belle-fille.**
Mon **beau-fils** est le mari de ma fille ; mais si je suis **remariée**, c'est aussi le fils de mon mari.
Ma **belle-fille** est la femme de mon fils ; mais si mon mari est remarié, c'est aussi la fille de mon mari.
Mon **demi-frère** (ma **demi-sœur**) est le fils (la fille) que mon père (ou ma mère) a eu(e) avec une personne qui n'est pas ma mère (ou mon père).
Des frères et sœurs nés le même jour sont des **jumeaux**. Pour des filles, on dit des « **jumelles** ».

■ Des gens sont **concubins** quand ils vivent ensemble sans être mariés. Ils peuvent aussi être **pacsés** : ils ont alors déclaré officiellement à la mairie leur vie commune sans être mariés.
Après le **mariage**, souvent, les gens divorcent. (**se marier ≠ divorcer**)
Quand on n'est pas marié, on est **célibataire** *(m/f)*.
Quand le mari est **mort**, la femme est **veuve.** Quand la femme est **morte**, le mari est **veuf.**

1 Relevez dans les dialogues tous les mots de la famille.

2 Classez du plus jeune au plus vieux.

☞ *Exemple : **1** la nièce – **4** l'arrière-grand-oncle – **2** la tante – **3** la grand-tante*

a. ___ le grand-oncle – ___ la cousine – ___ la tante – ___ l'arrière-grand-mère

b. ___ la petite-fille – ___ la mère – ___ la grand-mère – ___ le gendre

c. ___ le père – ___ le fils – ___ le petit fils – ___ le grand-père – ___ l'arrière-grand-père

3 Trouvez le masculin ou le féminin de chaque membre de la famille.

Masculin	**Féminin**	**Masculin**	**Féminin**
1. le grand-père	la ***grand-mère***	**4.** le neveu	la ___________
2. l' ___________	la tante	**5.** le frère	la ___________
3. le ___________	la belle-fille	**6.** le mari	la ___________

4 **Regardez le dessin de la famille Leroux et complétez ces présentations avec les mots suivants :**
grand-mère – père – sœur – fille – neveu – femme – arrière-grand-père – grand-oncle – belle-fille – mère – nièce – fils – frère – beau-père

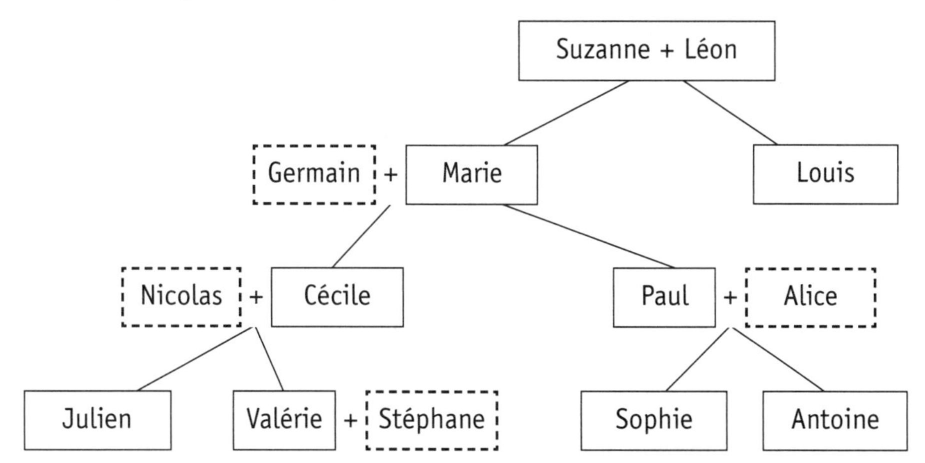

1. *Cécile (44 ans) :* **a.** Mon __________ s'appelle Stéphane. – **b.** Ma __________ s'appelle Marie.
2. *Paul (42 ans) :* **a.** Germain, c'est mon __________ et Suzanne, c'est ma __________ – **b.** Alice, c'est ma __________ – **c.** Mon __________ s'appelle Julien.
3. *Germain (68 ans) :* **a.** Ma __________ s'appelle Alice et mon __________ c'est Paul. – **b.** J'ai une __________, elle s'appelle Cécile.
4. *Alice (35 ans) :* **a.** Ma __________ c'est Valérie. – **b.** Mon __________ s'appelle Germain.
5. *Julien (18 ans) :* **a.** Léon c'est mon __________ et Louis, c'est mon __________ – **b.** Ma __________ s'appelle Valérie.

5 **Devinettes. Qui est-ce ?**

☞ *Exemple : C'est la mère de mon père et de ma tante :* ► *c'est* ***ma grand-mère****.*

1. C'est ma sœur mais nous n'avons pas le même père : c'est __________.
2. C'est la femme de mon frère : c'est __________.
3. C'est le fils de ma sœur : c'est __________.
4. C'est la fille de mon deuxième mari : c'est __________.

6 **Complétez ces phrases avec les mots suivants.**
se marier – divorcer – ***célibataire*** *– pacsé – veuve*

☞ *Exemple : Ma tante n'est pas mariée, elle est* ***célibataire****.*

1. Mon grand-père est mort il y a deux ans et ma grand-mère est __________.
2. Mon frère ne veut pas __________ mais il est __________ avec Sophie : ils vivent ensemble.
3. Mon oncle et ma tante sont mariés mais ils ne sont pas bien ensemble, ils veulent __________ bientôt.

7 **Activité. À l'aide d'une ou de plusieurs photos, présentez les membres de votre famille, réelle ou imaginaire.**

LES ITINÉRAIRES

JE CHERCHE LE MÉTRO

Le jeune homme : Pardon madame, je cherche la station de métro Saint-François ?

La femme : Oh, vous n'êtes pas dans la bonne direction. Prenez la première rue à droite, traversez une rue et continuez tout droit. Vous allez voir le jardin du Musée en face. Vous tournez à gauche, vous longez le jardin et vous arrivez dans la rue Anatole-France. Vous tournez à droite. Vous passez devant une librairie et vous arrivez rue des Écoles. Au feu rouge, vous prenez à gauche et au deuxième carrefour, vous allez voir la station de métro Saint-François, juste en face.

Le jeune homme : Heu, je ne suis pas sûr d'avoir bien compris... C'est loin ? Il faut combien de temps pour y arriver ?

La femme : Si vous marchez vite, il faut dix bonnes minutes à pied.

Le jeune homme : Bon, je crois que je vais prendre un taxi !

La femme : Mais attendez, si vous continuez tout droit, il y a la station de l'Université. C'est à cinq minutes...

Le jeune homme : Ah ! très bien. Merci, madame !

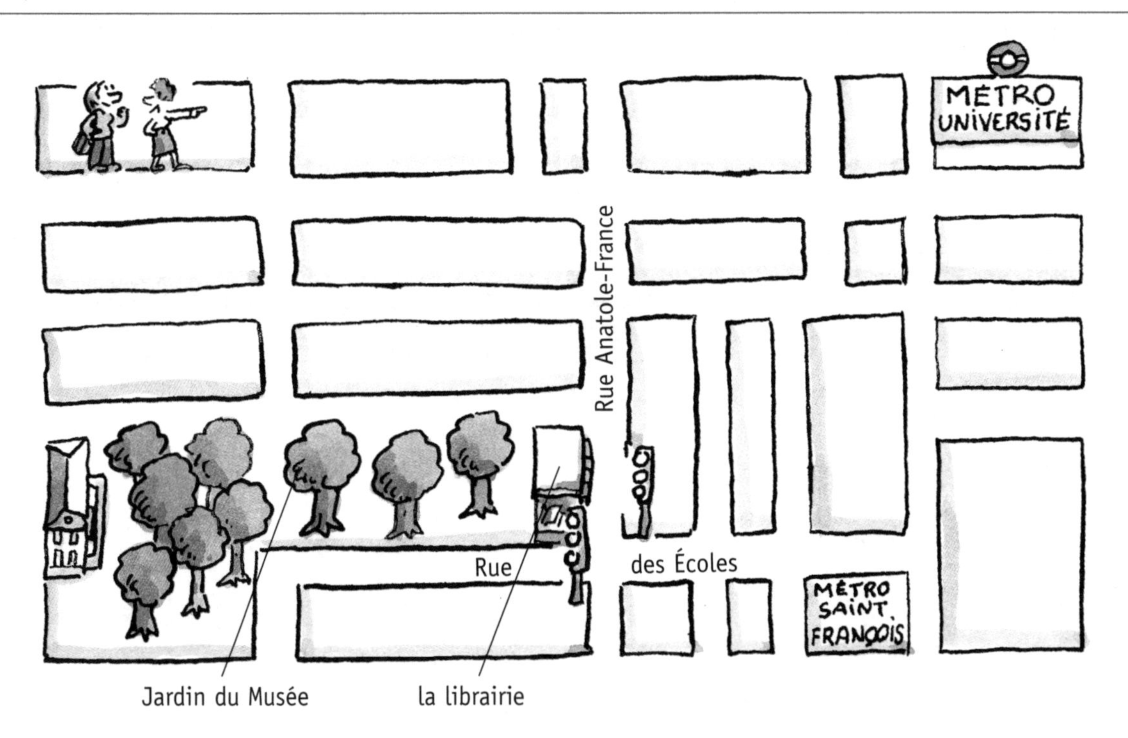

LA ROUTE DU MOULIN

Annie : Non, Jacques, ce n'est pas la bonne route. Avant l'église, il fallait tourner à droite et passer devant la mairie.

Jacques : Écoute, je vais chez Maurice plus souvent que toi. Je connais le chemin.

Annie : Arrête-toi et demande à cette femme.

Jacques : C'est vraiment pour te faire plaisir. *(À la femme.)* Pardon madame, pour aller au moulin, s'il vous plaît ?

La femme : Ah, mais vous n'êtes pas dans la bonne direction : retournez jusqu'à l'église et juste après, prenez la première à gauche. Passez devant la mairie et descendez la rue, le moulin est à 500 mètres sur la droite.

Jacques : Merci, madame.

Annie : Tu vois, j'avais raison, tu t'es encore trompé !

Jacques : Bon, au retour, c'est toi qui conduis !

Dans la ville

■ une rue, un boulevard, une avenue, une place, un carrefour, un feu (rouge), un pont, la rivière, un parc (un grand jardin public)

■ la mairie, l'école, le lycée, l'université, la bibliothèque, la piscine, le stade, le cinéma, le théâtre, un centre commercial, un magasin, l'église, le commissariat de police, la poste, la gare

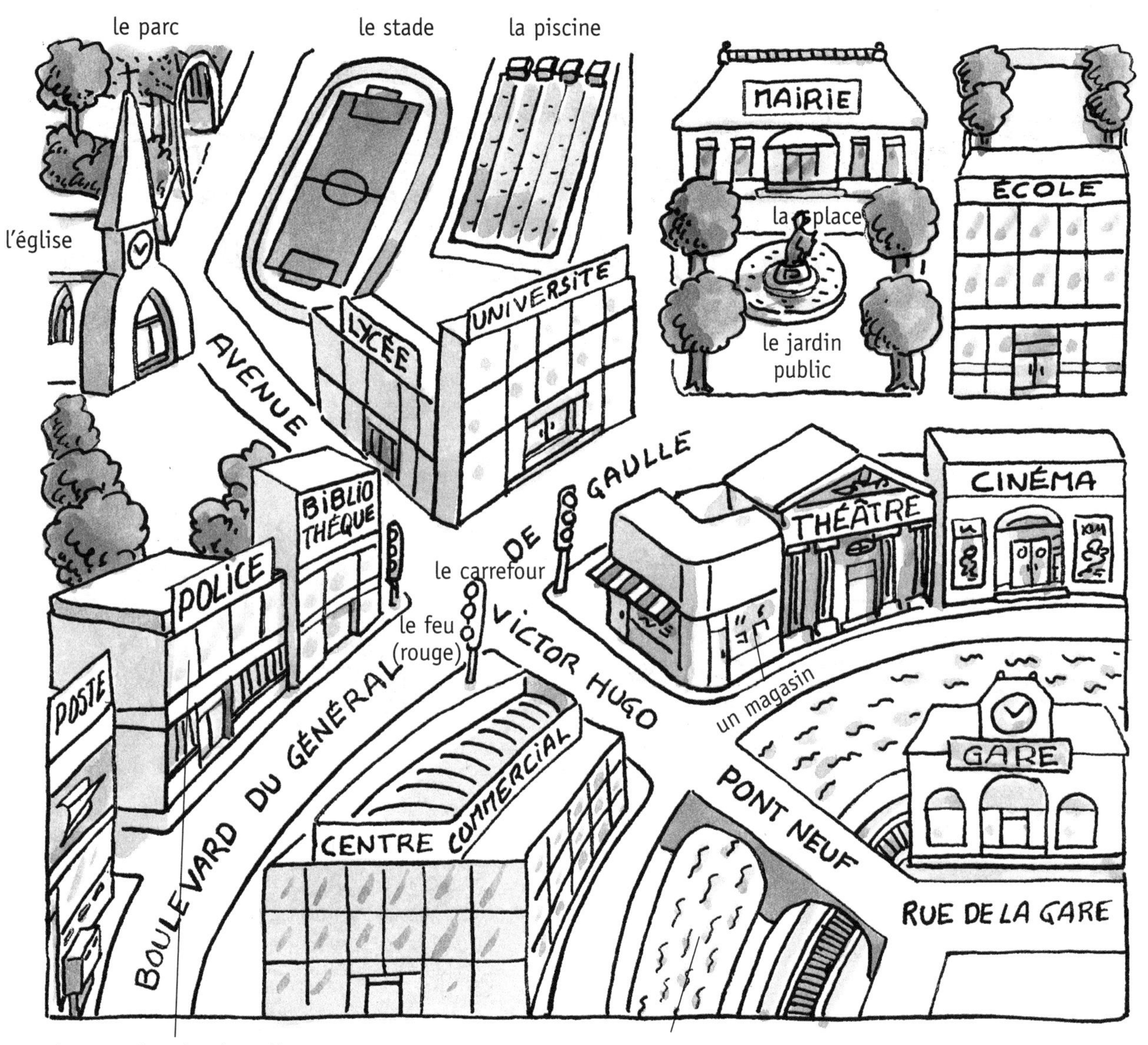

Sur la route

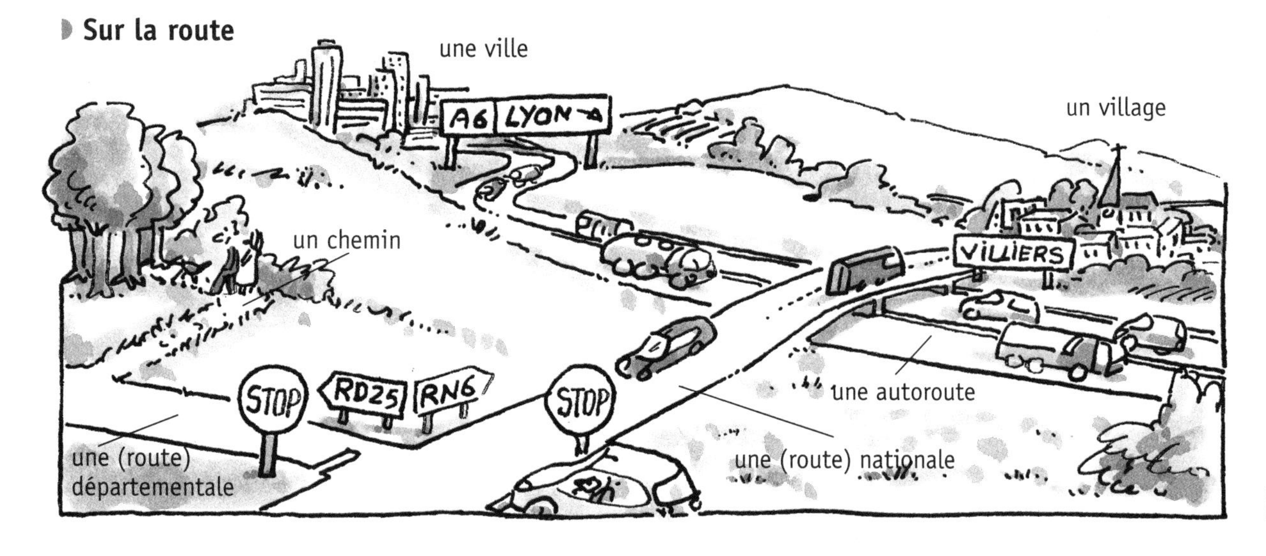

Les indications

La situation

tout droit
à droite (de) (sur votre droite)
à gauche (de) (sur votre gauche)
en face (de) = de l'autre côté de
devant ≠ derrière

près de ≠ loin de
avant ≠ après
à côté de = près de
au bord de (la rivière)
entre ... et ...

au bout de la rue/à la fin de...
au coin/à l'angle de la rue X
(et de la rue Z)
dans la rue, sur le boulevard/
l'avenue, sur la place...

Les actions

aller, continuer (jusqu'à/au...)
passer devant le/la...
longer (= passer devant)
tourner, prendre (à droite/à gauche)

prendre la première/deuxième/troisième rue à droite/à gauche
traverser (la rue/le pont)
revenir/retourner (en arrière)
remonter ≠ redescendre une avenue

Pour demander son chemin

– S'il vous plaît, je cherche la mairie.

– S'il vous plaît, où est la piscine ?

– Pardon, je voudrais aller au supermarché.
– Pardon monsieur, où est l'arrêt/la station de bus ?
– Je veux aller au musée du Louvre, c'est par où ? C'est loin ?

– Vous pouvez m'indiquer la rue de Strasbourg ?

*– Nous sommes **perdus**, nous cherchons la route de Louviers, s'il vous plaît.*

Pour expliquer un itinéraire

– Prenez le boulevard tout droit, après le carrefour, c'est sur la gauche, à 30 mètres.
– Elle se trouve dans le parc, en face de l'université. C'est à 5 minutes.
– C'est au bout de la rue, à côté de la gare.
– Traversez la rue et prenez la première rue à droite. La station de bus est à 50 mètres.
*– Allez jusqu'au pont, traversez et longez la Seine sur la gauche, le musée est un peu plus loin en face. **Il faut** 10 minutes **à pied**/en voiture.*
– Continuez la rue d'Amsterdam et c'est la troisième rue à gauche.
– Prenez cette avenue, passez devant le lycée, continuez encore tout droit et au grand carrefour, tournez à droite.

1 Recherchez dans les dialogues tous les noms de lieu et les expressions pour indiquer un itinéraire.

2 Réécoutez le dialogue « Je cherche le métro » et tracez sur le plan p. 36 le chemin indiqué.

3 **Ajoutez « un » ou « une » devant les noms, puis barrez dans chaque série le mot qui ne va pas.**

☞ *Exemple : devant – à côté – au coin – après – ~~au feu~~ – à gauche*

1. ___ rue – ___ avenue – ___ boulevard – ___ rivière – ___ pont – ___ place
2. ___ école – ___ mairie – ___ autoroute – ___ église – ___ commissariat
3. tout droit – à gauche – en face – à pied – à droite – au bout

4 **Associez les expressions de sens proche.**

1. ***Remontez le boulevard.***
2. Continuez tout droit.
3. Traversez le pont.
4. Retournez jusqu'à l'école.
5. Longez le jardin.
6. Allez au bout de la rue.

a. Ne tournez pas.
b. Continuez jusqu'à la fin de la rue.
c. Passez devant le jardin.
d. Revenez à l'école.
e. ***Prenez le boulevard vers le haut.***
f. Passez de l'autre côté de la rivière.

5 **Complétez ces indications avec les verbes suivants.**

continuer – indiquer – se trouve – retourner – tournez – traverser – prenez – longer

☞ *Exemple : Pour aller à la gare, vous devez* ***longer*** *la rivière.*

1. Vous pouvez m' ____________ le chemin pour aller à la gare ?
2. Quand vous arrivez au bord de la rivière, ____________ à gauche pour ____________ le pont.
3. Prenez cette rue et vous devez ____________ tout droit. Au feu, ____________ à droite.
4. Vous n'êtes pas dans la bonne direction ; vous devez ____________ jusqu'à la mairie et prendre la rue du Four.
5. La mairie ____________ à côté de la piscine.

6 **Regardez le plan page 37 et complétez les indications par les expressions suivantes. (Vous êtes sur la place.)**

au coin – au bord – après – sur – au bout – derrière – de l'autre côté de – devant – à – entre – en face

☞ *Exemple : La bibliothèque est sur la place.*

1. Le jardin public se trouve ____________ l'université et l'école.
2. La bibliothèque est ____________ de l'avenue Victor Hugo et du boulevard.
3. Le centre commercial se trouve ____________ de l'avenue, ____________ de la rivière.
4. La mairie est ____________ le jardin public.
5. La gare est ____________ de la rivière, ____________ gauche après le pont.
6. Il y a un cinéma ____________ le théâtre.
7. Pour aller au stade, il faut passer ____________ le lycée.

7 Activité. **Vous dialoguez avec votre voisin(e) pour lui indiquer un lieu près de votre cours de français : bibliothèque, piscine, restaurant... Il (elle) répète pour vérifier le chemin et il (elle) pose des questions.**

LA NAVETTE DE L'AÉROPORT

Monique: Allô, Simone? Bonsoir, c'est Monique, je suis à l'aéroport. Je vais prendre un taxi et j'arrive.

Simone: Ah ! Monique, je suis contente de t'entendre ! À cette heure-ci, un samedi soir, un taxi ? Il n'y en a pas. On voit bien que tu n'es pas de Nice ! Ils sont tous en ville. Non, écoute; je t'explique, c'est très simple. Tu prends la navette qui va vers Nice; elle part de l'aéroport, juste devant le hall des arrivées. Et elle va jusqu'à la place Garibaldi. Là, tu descends, tu traverses la place vers l'avenue de la République. Tu vas voir le café de Turin, au coin. Et quelques mètres plus loin, il y a l'arrêt du bus 26. Tu descends au quatrième arrêt, je t'attends à l'abribus.

Monique: Bon, j'ai compris. Heureusement, c'est plus facile qu'à Marseille. Il faut combien de temps pour arriver chez toi ?

Simone: Si tu n'attends pas le bus, il faut une demi-heure.

Monique: Bon, alors, à tout à l'heure.

un abribus

POUR ALLER AUX HALLES

Le jeune: Pardon madame, je voudrais aller aux Halles.

L'employée: Vous prenez la ligne 9, direction Mairie-de-Montreuil. Vous descendez à la station Havre-Caumartin. Là, vous prenez la correspondance pour le RER A[1], direction Boissy-Saint-Léger. Les Halles, c'est la station suivante.

Le jeune: Alors, je voudrais un ticket de métro et un ticket de RER, s'il vous plaît.

L'employée: Mais c'est le même ticket...

Le jeune: Ah bon, alors un ticket. C'est combien ?

L'employée: C'est 1,40 euro.

Le jeune: Voilà... Donc je change à Havre-Caumartin et je prends le RER. C'est bien ça ?

L'employée: Oui, vous allez voir, c'est indiqué sur le quai.

Le jeune: Merci bien, madame.

1. « RER A » = ligne A du RER.

Pour se déplacer

prendre le métro, le tramway, le RER (le Réseau express régional circule dans Paris et en banlieue), le bus, la navette (= un bus qui fait seulement l'aller-retour entre deux ou plusieurs stations), un taxi

aller à la gare/au cinéma en bus, en métro, en RER, en taxi

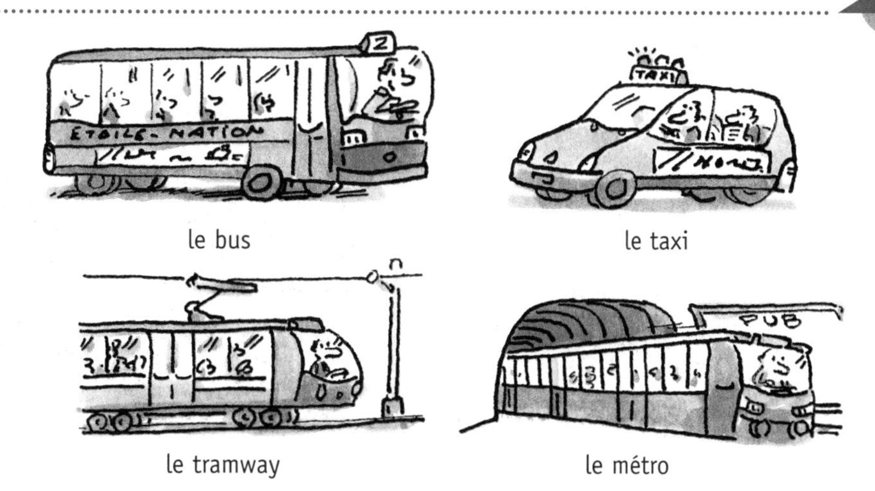

le bus — le taxi — le tramway — le métro

Les titres de transport

On peut acheter un titre de transport au **guichet**, auprès d'un **agent** (= un employé) de la RATP (Régie autonome des transports parisiens) ou à un **distributeur automatique**.

– Un **ticket** (ou un **carnet** de 10 tickets ; c'est moins cher). Avec un ticket, on peut prendre le bus, le métro et le RER dans la ville.

– Un **abonnement** :
  hebdomadaire (= pour une semaine)
  mensuel (= pour un mois)
  annuel (= pour un an).

– Pour aller en **banlieue** (autour des grandes villes), il faut prendre le bus, le tramway, le RER ou le **train** (la SNCF, Société nationale des chemins de fer français, organise la circulation des trains). Pour le train, il faut acheter à la gare un **billet** aller simple ou aller-retour.

Pour prendre un **transport en commun**, il faut acheter un ticket, le **composter** (= le passer dans une machine qui ouvre le passage automatiquement) puis chercher la ligne et la **direction**.

le billet — composter — le train

le guichet — le distributeur automatique

Les stations

attendre un bus à la station/l'arrêt *(m)*/l'abribus *(m)*
attendre le métro/le RER/le train sur le **quai**
monter dans le métro

Prendre la **ligne** 1, **direction** *(f)* Château-de-Vincennes ou La Défense
Une **ligne** est définie par un chiffre ou par les deux **terminus** *(m)* = les dernières stations de la ligne.
On arrive directement à la **station** voulue, sans **changer/changement** *(m)* : c'est **direct**.
Quand il y a un **changement** ou une **correspondance**, il faut **changer** (descendre du train/du métro pour prendre une autre ligne) à la station X... et **prendre une correspondance** (= une autre ligne). Quand on arrive, on **descend** à la station Z.

la station — le conducteur — la correspondance — le quai

Le personnel

Le chauffeur : il conduit.
L'agent de la RATP/de la SNCF... : il vend les titres de transport.
Le contrôleur : il contrôle/vérifie le titre de transport des **passagers/voyageurs** et donne une **amende** (il faut payer en plus) quand la personne n'a pas de ticket.

Le taxi

une **borne**, une **tête de station** (les taxis y attendent les clients)
un **chauffeur de taxi**
la **prise en charge** : le prix de départ. Le **compteur** n'est pas à zéro au départ, il indique déjà quelques euros.
une **course** : un trajet, une distance en taxi
le **prix** d'une course : le prix payé par le client à l'arrivée
un **supplément** (pour les bagages, pour les gros paquets)
le **tarif** de jour/de nuit (c'est plus cher la nuit, le dimanche et les jours fériés)

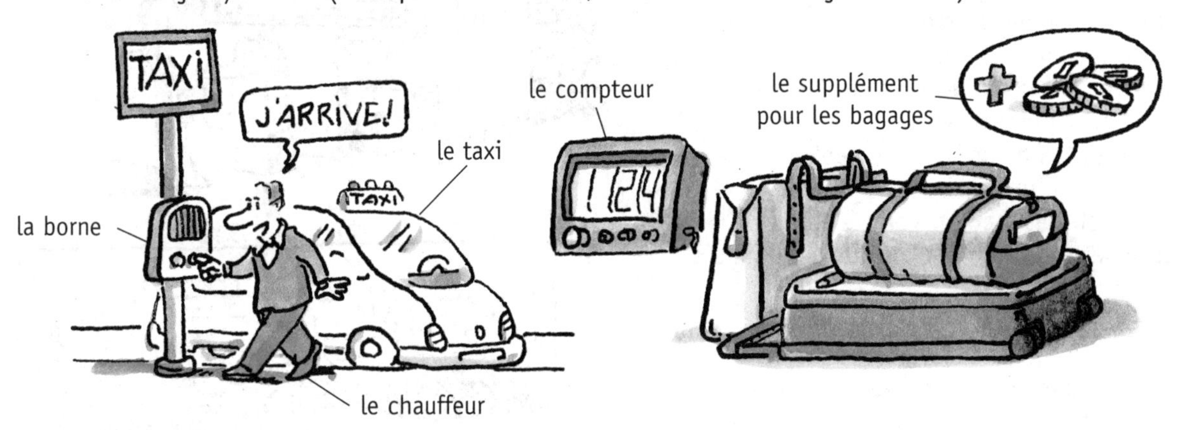

Pour caractériser les transports

C'est **rapide** = ça va vite ≠ c'est **lent.**
C'est **économique** ≠ c'est **cher.**
C'est simple/facile ≠ c'est compliqué.
C'est **pratique** : ça marche bien, ça va partout et c'est facile à prendre.
C'est propre ≠ c'est sale.
C'est **confortable** = on y est bien.

Pour aller plus loin

Les **heures de pointe** : le matin (entre 8 heures et 9 heures) et le soir (entre 17 h 30 et 19 heures), quand il y a beaucoup de monde dans les transports en commun.

1 **Relevez dans les dialogues toutes les expressions en relation avec :**

1. le métro → ____________________

____

2. le bus → ____________________

____

2 Dans chaque série, barrez le mot ou l'expression qui ne va pas avec les autres.

☞ *Exemple : un contrôleur – un chauffeur – un agent de la RATP – ~~un passager~~ – un employé de la SNCF*

1. un titre de transport – une borne – un carnet – un billet – un ticket
2. un train – un bus – un métro – un quai – un taxi – une navette – un tramway
3. pratique – facile – confortable – sale – économique – rapide
4. changer – indiquer – descendre – monter – prendre une correspondance

3 Complétez ces phrases par les expressions suivantes.

prendre – changer – descends – contrôler – monter – composter – attendre

☞ *Exemple : Excusez-moi, je **descends** à la prochaine.*

1. Pour aller à Opéra, ce n'est pas direct ; tu dois ____________ à République. Tu dois ____________ la ligne 3, direction Pont de Levallois.
2. On ne peut pas ____________ dans ce métro, il y a trop de monde. On va ____________ le prochain !
3. Madame, vous devez ____________ votre billet avant de monter dans le train.
4. Je peux ____________ votre ticket, s'il vous plaît ?

4 Où peut-on entendre ces phrases ?

dans un taxi (T) – dans une station de métro (M) – à la gare (G) – dans un bus (B)

☞ *Exemple : Donnez-moi un carnet, s'il vous plaît. ► **M***

1. Je voudrais un aller-retour pour Cergy. → ______
2. Nous allons à la gare Saint-Lazare, s'il vous plaît. → ______
3. Vous pouvez m'indiquer l'arrêt du 25, s'il vous plaît. → ______
4. Pardon, je descends à la prochaine. → ______
5. C'est à partir de quelle heure, le tarif de nuit ? → ______
6. Vous descendez à Château-Rouge et vous prenez la ligne 4, direction Clignancourt. → ______
7. Je descends au prochain arrêt, s'il vous plaît. → ______
8. Donnez-moi un aller simple pour La Défense, s'il vous plaît. → ______

5 Associez les questions et les réponses.

1. ***Tu as ton billet ?*** → e
2. Vous allez à quelle adresse ?
3. Pardon, pour aller à la station Cité ?
4. Vos billets, s'il vous plaît.
5. On s'arrête où ?
6. C'est direct ?
7. Je voudrais acheter un ticket...

a. – Regarde, il y a un distributeur.
b. – Non, il faut changer à Villiers.
c. – On va jusqu'au terminus.
d. – Changez à Montparnasse et prenez la ligne 4.
e. – ***Oui, j'ai pris un aller-retour.***
f. – Tiens, voilà un contrôleur !
g. – 22 rue des Lombards.

6 Activité. Un(e) amie vous téléphone. Il (elle) vient passer l'après-midi chez vous. Indiquez-lui les transports à prendre. Donnez des explications précises.

10 LES ACTIVITÉS QUOTIDIENNES

LE MATIN

(À la maison.)

La mère: Sophie, mais tu es encore au lit! Tu dois te lever, il est sept heures et demie et tu vas être en retard au collège.

Sophie: Bon, d'accord, je vais me laver.

La mère: Non, va d'abord prendre ton petit-déjeuner, ton frère finit de prendre sa douche. Moi, je vais finir de me préparer; je ne me suis pas maquillée.

Sophie: Et papa, il est parti ?

La mère: Non, il n'est pas en avance ce matin. Il se rase et il s'en va.

Sophie: Alors, il peut m'attendre et me laisser au collège. Je suis prête dans un quart d'heure.

À MIDI

(Au bureau.)

Une collègue: Tu déjeunes où ?

La mère: Aujourd'hui, je n'ai pas beaucoup de temps, j'ai une course à faire. Je vais manger un sandwich et prendre un café.

La collègue: Je viens avec toi. Il fait beau, on peut aller à la terrasse du café des Amis. Après, je vais lire un peu au soleil; à la maison, je n'ai pas le temps !

LE SOIR

(À la maison.)

La mère: Bonsoir Sophie, ça va ? Paul n'est pas encore rentré ?

Sophie: Bonsoir Maman, non, Paul est allé faire ses devoirs chez Augustin. Papa vient de téléphoner: il ne dîne pas avec nous, il a un repas avec un client chinois.

La mère: Bon, et ta journée ?

Sophie: Ça va, j'ai eu 12 en maths. Demain, la prof d'histoire est absente. Et toi, ta journée ?

La mère: J'ai acheté ton livre à midi. J'ai beaucoup de travail au bureau: on va peut-être avoir une nouvelle secrétaire.

Sophie: Ah, c'est bien… Qu'est-ce qu'on mange ce soir ?

La mère: J'ai acheté une pizza et je vais préparer une salade. On peut regarder un film si Paul ne rentre pas trop tard. Mais ce soir, on se couche de bonne heure, on est tous fatigués !

Sophie: Tu dis ça tous les soirs et on ne va jamais au lit avant minuit.

La mère: Eh bien ce soir, on essaie de se coucher à… onze heures et demie !

► VOIR AUSSI CHAPITRES 11 « L'ALIMENTATION... », 12 « LES COURSES », 13 « LA MAISON... ».

se réveiller (le matin) ≠ **dormir** (la nuit)
se lever tôt/de bonne heure (à 6 heures) ≠ **tard** (à 11heures), **faire la grasse matinée**
être **en avance** ≠ **en retard** (quand on est en retard, on doit **se dépêcher**, faire vite)

Se préparer

Dans la salle de bains

se laver le visage, les cheveux, les mains,
prendre une douche (dans la douche)/**un bain** (dans la baignoire),
se brosser/se laver les dents, **se coiffer** (les cheveux),
se maquiller (pour les femmes), **se raser** (pour les hommes)

Dans la chambre

s'habiller, mettre des vêtements ≠ **se déshabiller** (le soir, enlever les vêtements)
se changer (changer de vêtements), **se chausser** (mettre des chaussures)

se coiffer
une douche
se maquiller
se raser
un bain
se brosser les dents

Manger

prendre le petit-déjeuner (le matin), prendre/boire un/du café, un/du thé
déjeuner (à midi), **dîner** (le soir)
▲ **Attention :** *Où est-ce que tu manges à midi ? = Où est-ce que tu déjeunes ?*

Sortir

prendre le métro, le bus, un taxi, la voiture, conduire, aller au travail/au bureau/à l'école..., travailler, étudier, avoir un rendez-vous, aller/sortir au restaurant, au théâtre, dans un café, en discothèque, chez des amis

Les travaux domestiques

Faire des courses (dans les magasins) ; **aller au marché**, au supermarché

la vaisselle

■ **La cuisine**
préparer le repas/le dîner, **faire la cuisine**
mettre la table (préparer la table pour le repas : mettre les **assiettes**, les **verres**, les **couverts**)
servir le repas (apporter les plats sur la table)
débarrasser la table (enlever les assiettes, les couverts... après le repas)
laver/faire et essuyer la vaisselle
charger le **lave-vaisselle** (= mettre la vaisselle sale dans la **machine à laver la vaisselle**)
ranger la vaisselle

la lessive

■ **Le linge**
faire la lessive (= laver le linge à la main ou à la machine)
mettre le linge à **sécher**, **étendre le linge**
repasser le linge (avec un fer à repasser), **ranger** le linge (dans une armoire, un placard)

■ **Faire le ménage**
nettoyer une pièce, **faire la poussière** (= enlever la poussière) sur les étagères, sur un meuble
nettoyer/**faire les vitres** (= les carreaux des fenêtres)
nettoyer la **baignoire**, le **lavabo**
laver **par terre**/le **sol**
balayer (le sol), passer le **balai**, passer un coup de balai
passer l'**aspirateur**...

Passer la soirée à la maison

■ **Se reposer, se détendre**
lire (un roman, un magazine, le journal), écouter de la musique, écouter la radio
regarder la télévision/un film
bavarder (parler)

■ **Se coucher**, aller/se mettre au lit, **s'endormir**, dormir

1 **Relevez dans les dialogues tous les verbes des actions quotidiennes.**

2 **Quel est l'emploi du temps de M. Le Brun ? (Plusieurs actions sont parfois possibles.)**
se lever – se coucher – prendre le petit-déjeuner – dîner – prendre le métro – quitter le bureau – faire une course – prendre une douche – avoir rendez-vous avec un client – ***se réveiller*** *– prendre un café avec une amie – se raser – rentrer à la maison – jouer au tennis avec un ami – arriver au travail – déjeuner avec un client – prendre un café avec une collègue – téléphoner à un collègue*

1. 7 h : ***Il se réveille.***
2. 7 h 10 : ____
3. 7 h 20 : ____
4. 9 h : ____
5. 9 h 35 : ____
6. 10 h 30 : ____
7. 12 h 30 : ____
8. 13 h : ____
9. 14 h : ____
10. 15 h 15 : ____
11. 15 h 30 : ____
12. 17 h : ____
13. 18 h 30 : ____
14. 20 h : ____
15. 21 h : ____
16. 23 h 30 : ____

3 **Associez les verbes et les actions.**

nettoyer *– ranger la vaisselle – laver – passer le balai – faire la poussière – ranger le linge – repasser – laver le linge – faire la vaisselle – débarrasser la table – mettre les choses à leur place – faire la lessive – passer l'aspirateur – laver les assiettes – ranger – balayer*

1. lavage → ______________________
2. nettoyage → ***nettoyer*** – ______________________
3. rangement → ______________________
4. repassage → ______________________

4 **Complétez ces phrases avec les éléments suivants.**

courses – ranges – lessive – poussière – ***aspirateur*** *– essuies – repassage – cuisine – vitres – laver – vaisselle – balayer – repose*

1. Est-ce que tu peux passer l'***aspirateur*** s'il te plaît ? Moi, je vais ____________ par terre. Non, tu vas ____________, ça fait moins de bruit.
2. La femme de ménage fait souvent les ____________, on voit bien dehors ; mais elle déteste faire la ____________ sur les meubles.
3. Donnez-moi votre linge sale, je fais une ____________. Monique va venir demain faire le ____________.
4. Ce soir, j'ai fait les ____________, j'ai fait la ____________ alors tu fais la ____________ et toi, Claire, tu l' ____________ et tu la ____________ ; moi, je ne fais plus rien, je me ____________.

5 **Répondez aux questions suivantes.**

☞ *Exemple : Où dînez-vous ce soir ? (nouveau restaurant – amis)*
► ***Ce soir, nous dînons dans un nouveau restaurant avec des amis.***

1. Tu fais quoi demain midi ? *(café – collègue – déjeuner)*
   → ______________________
2. Le repas est fini. Qui vient m'aider ? *(la table – la vaisselle – balayer)*
   → ______________________
3. Vous vous levez à quelle heure ? Qu'est-ce que vous faites après ? *(petit-déjeuner – douche – s'habiller)*
   → ______________________
4. Le matin, tu vas au travail à quelle heure ? Tu pars comment ? *(bus)*
   → ______________________
5. Vous rentrez chez vous à quelle heure le soir ? Qu'est-ce que vous faites quand vous arrivez ? *(le journal – cuisine – télévision)*
   → ______________________

6 **Activité. Voici la famille Michaux :** *le père (42 ans, employé de banque), la mère (38 ans institutrice), la fille Sandrine (9 ans) et le fils Guillaume (17 ans).* **Avec votre voisin(e), imaginez l'emploi du temps de chacun. À tour de rôle, posez-vous des questions.**

Bilan n° 2

1 Lisez le portrait de Louise et complétez le portrait de Brigitte qui est exactement son contraire.

***Louise** est grande et mince. Elle est assez jeune. Elle a les cheveux blonds, courts et frisés. Elle a de grands yeux clairs, une bouche fine et un petit nez. Elle a le teint clair. C'est une jolie fille.*

Brigitte est ____________ et ____________. Elle est assez ____________. Elle a les cheveux ____________. Ils sont ____________ et ____________. Elle a de ____________ yeux ____________, une bouche ____________ et un ____________ nez. Elle a le teint ____________. C'est une fille ____________.

2 Qui est-ce ?

1. C'est le frère de ma mère et le mari de ma tante : → ____________
2. C'est le fils de mon mari mais ce n'est pas mon fils : → ____________
3. C'est la fille de mon frère et la sœur de mon neveu : → ____________
4. C'est le mari de ma fille et le père de mes petits-enfants : → ____________
5. C'est ma sœur, elle est née le même jour que moi : → ____________
6. C'est la grand-mère de mon père et la mère de ma grand-mère : → ____________
7. C'est la mère de mon mari et la grand-mère de mes enfants : → ____________
8. C'est le fils de ma tante et le frère de ma cousine : → ____________

3 Complétez ces mini-échanges par les expressions suivantes.

divorcer – se remarier – rencontrer – mourir – se marier – avoir un enfant – se pacser

1. Pascale voudrait ____________ un homme gentil et intelligent ; elle aimerait ____________ et ____________ avant 40 ans.
2. Mon fils n'est pas pour le mariage, mais il voudrait ____________ avec son amie.
3. Madeleine n'est pas heureuse avec son mari et ils vont peut-être ____________.
4. Maintenant, ma grand-mère est veuve, elle vit avec nous ; mon grand-père vient de ____________ le mois dernier.
5. Mon père va bientôt ____________, ma future belle-mère est plus jeune que lui.

4 Complétez ces explications par les expressions suivantes (parfois plusieurs possibilités).

arrivez – allez – retournez – continuez – descendez – traversez – remontez – prenez – longez – tournez

1. Pour aller au métro, ____________ le pont et ____________ la Seine sur la gauche.
2. L'hôpital ? ____________ tout droit, au premier carrefour, ____________ à droite et vous ____________ devant une grande porte, c'est là !
3. Vous cherchez le cinéma, ____________ la rue jusqu'au pont, le cinéma est au bord de la rivière.
4. Ah non, la bibliothèque n'est pas par là ; ____________ sur la place et ____________ le boulevard à droite. La bibliothèque est au bout de la rue.

5. Vous cherchez le lycée ? ________________ au carrefour et ________________ la première avenue sur la gauche.

5 Complétez ces indications avec les expressions suivantes.

descendez – borne – composter – changer – supplément – direction – arrêt – carnet – ligne – station

1. Pour aller au théâtre de la Ville, prenez la ________________ 4, direction Porte-de-Clignancourt et ________________ à la ________________ Châtelet.
2. Non, ce n'est pas direct, pour Saint-Lazarre, vous devez ________________ à Auber et prendre le métro, ligne 3 ________________ Levallois.
3. Je voudrais un ________________ de tickets s'ils vous plaît.
4. Mademoiselle, vous devez ________________ votre billet.
5. Madame, s'il vous plaît, je cherche l' ________________ du 92.
6. Pardon monsieur, où se trouve la ________________ de taxi dans le quartier ?
7. Ça fait 25 euros plus le ________________ pour les bagages : 6 euros.

6 Choisissez deux ou trois adjectifs pour qualifier les transports urbains et faites une phrase.

rapide – agréable – cher – lent – pratique – sale – facile – économique

1. Le métro, c'est ____
2. Le bus ____
3. Le taxi ____

7 Répondez librement aux questions suivantes.

1. À quelle heure vous vous levez et à quelle heure vous vous couchez ?
____
2. Chez vous, qui prépare les repas ?
____
3. Quels travaux ménagers faites-vous tous les jours (vaisselle, lessive, passer l'aspirateur, etc.) ?
____
4. Chez vous, qui s'occupe du linge : lessive, repassage, rangement ?
____
5. Quels travaux domestiques aimez-vous ?
____

8 Racontez votre journée. Indiquez :

a. combien de temps il faut pour vous préparer
b. combien de temps de transport vous avez
c. où vous déjeunez
d. vos activités le soir après le travail
e. combien de temps vous dormez.

SOIR DE FÊTE

(Un samedi matin, à la maison.)

Le mari : Ma chérie, aujourd'hui c'est ta fête et c'est moi qui fais la cuisine ; Jacques et Laura viennent dîner ce soir.

La femme : Ça, c'est gentil : Laura et moi, on veut aller visiter le musée d'Art moderne cet après-midi. On va faire les courses ensemble ce matin, tu veux ?

Le mari : Non, je vais me débrouiller tout seul. Va déjeuner avec Laura... Passe une belle journée, ma chérie !

(Un peu plus tard.)

Le mari : Bon. J'ai tout ce qu'il faut : les huîtres, les citrons, la viande de bœuf, les sauces, l'huile, la salade verte, plusieurs fromages et pour le dessert, de la glace au chocolat et des biscuits... Ah ! il manque le pain et le vin, du rouge et du blanc. J'irai tout à l'heure après le match de foot. Une bonne après-midi devant la télé et tout le monde est content...

(En fin d'après-midi.)

Le mari : Alors ma chérie, le musée ?

La femme : Super, tu aurais dû venir. Il y a des œuvres de Calder que je ne connaissais pas... Et toi mon pauvre chéri, tu as passé la journée dans la cuisine ?

Le mari : Pas du tout, je suis allé au supermarché, puis j'ai regardé Nantes-Marseille à la télé – un très beau match – et après, j'ai ouvert les huîtres.

La femme : Hmm, j'adore ça ! Et qu'est-ce que tu as préparé d'autre ?

Le mari : Eh bien, ce soir, on mange une fondue bourguignonne, avec plein de sauces et une salade verte.

La femme : Pas mal ! et comme dessert ? Une tarte ?

Le mari : Non, une glace au chocolat avec des biscuits.

La femme : Finalement, tu te débrouilles très bien ; tu vas préparer plus souvent les repas.

Le mari : Zut, j'ai oublié d'acheter le pain et le vin. J'y vais, les magasins sont encore ouverts...

La femme : Dépêche-toi, Laura et Jacques vont bientôt arriver !

LA RECETTE DE LA TARTE AU SAUMON

Sylvie : Allô, Martine ! Bonjour, c'est Sylvie. J'ai besoin de ton aide : comment tu prépares ta quiche au saumon ? Elle est délicieuse.

Martine : Écoute, c'est très facile : tu achètes une tarte salée au supermarché. Il faut aussi 300 grammes de saumon fumé, un pot de crème fraîche, quatre œufs, un demi-litre de lait et, bien sûr, un peu de sel et du poivre.

Sylvie : Attends, pas si vite, je note... Un pot de crème... un gros ou un petit ?

Martine : Un gros, c'est mieux. Tu coupes le saumon en petits morceaux. Dans un saladier, tu mélanges les œufs, la crème fraîche et petit à petit, tu ajoutes le lait. Tu verses cette préparation sur la tarte, tu mets les morceaux de saumon, tu sales, tu poivres et tu fais cuire au four pendant 45 minutes.

Sylvie : À quelle température ?

Martine : À feu moyen. Tu arrêtes quand c'est doré et tu sers ta quiche bien chaude, avec une salade verte.

Sylvie : Merci Martine, tu sais que je ne suis pas encore un cordon bleu... Mais ça va venir... peut-être !

► VOIR AUSSI CHAPITRE 12 « LES COURSES ».

Les aliments

Les légumes

 une tomate
 un chou
 un poireau
 une aubergine
 une courgette

 une pomme de terre
 des haricots verts
 des petits pois
une salade verte
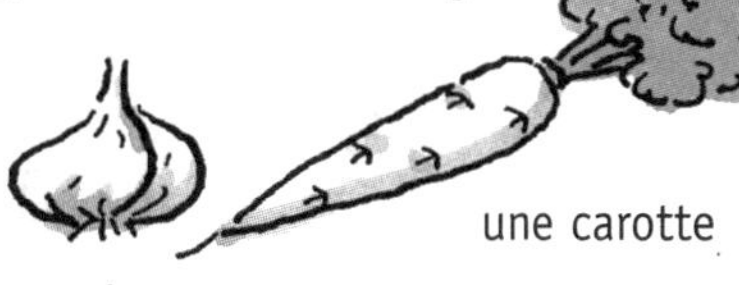 un oignon
une carotte

La viande

 un poulet
 du bœuf (un steak, un rosbif)
 du porc (du jambon, une côte, un rôti)
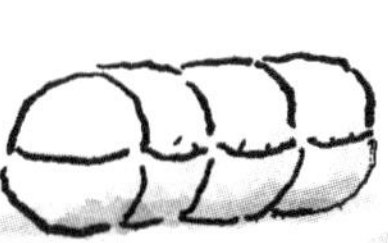 du veau (un rôti, une escalope)
 de l'agneau (un gigot, une côtelette)

Le poisson et les fruits de mer

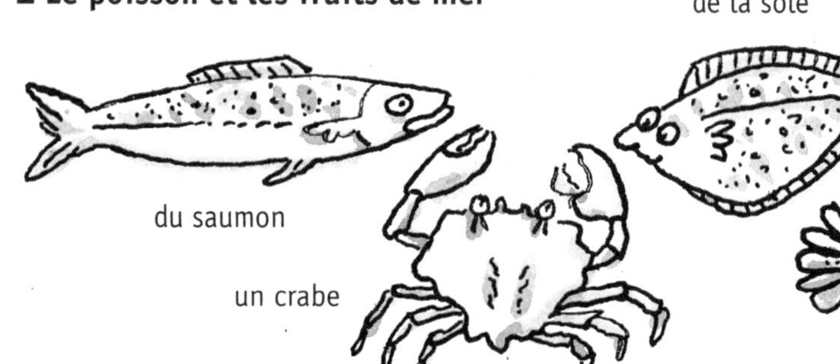 du saumon
un crabe
 de la sole
une huître
une crevette
un homard

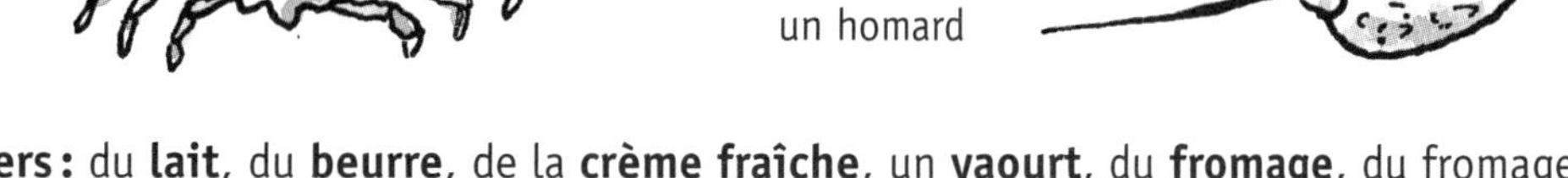

Les produits laitiers : du **lait**, du **beurre**, de la **crème fraîche**, un **yaourt**, du **fromage**, du fromage blanc.

Les fruits

 une pomme
 une banane
 une poire
une orange
 un ananas
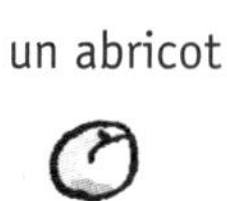 un abricot
 une pêche
 une fraise
une cerise

un pamplemousse
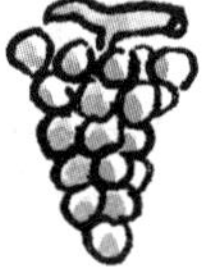 du raisin
 un citron

Les épices et les assaisonnements

 des herbes *(f)* de Provence

de l'huile
 du vinaigre

 du sucre
 du sel
du poivre

Les quantités

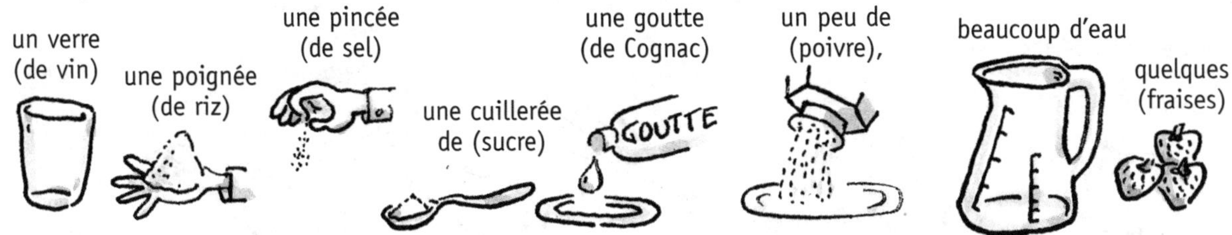

L'équipement ménager

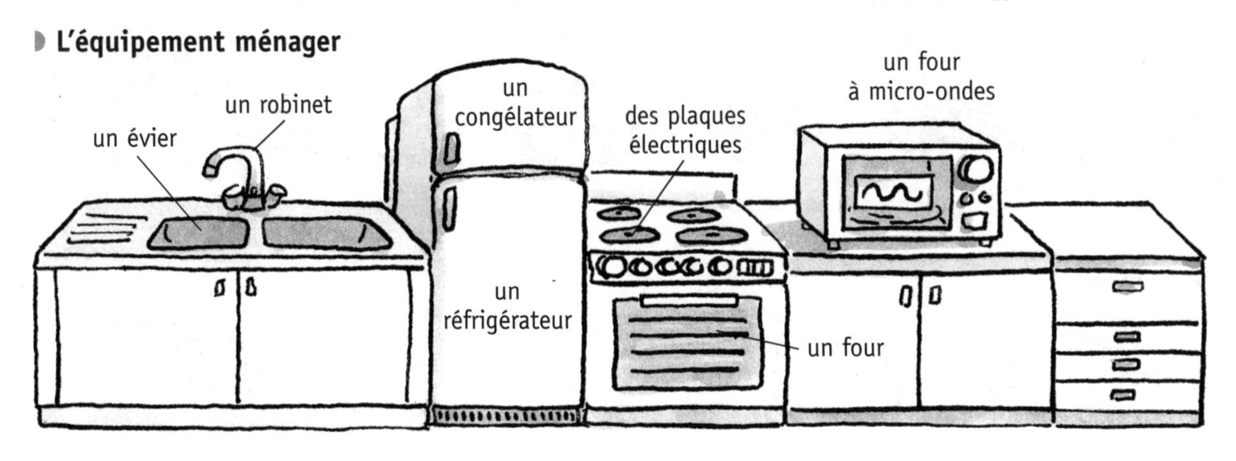

Les ustensiles et la vaisselle

Faire la cuisine

éplucher des légumes, des fruits
nettoyer (laver), couper, verser, mélanger, ajouter, mettre,
faire chauffer (à feu **doux, moyen, vif**), faire cuire, mettre au four, faire rôtir

éplucher

couper

faire rôtir

Pour aller plus loin

un cordon bleu = une personne qui fait très bien la cuisine

1 Barrez l'intrus.

☞ *Exemple : une pincée – une cuillérée – un bol –* ~~*un couteau*~~ *– un verre – une poignée*

1. une cuillère – une poêle – un couteau – une fourchette

2. une cocotte – une casserole – une passoire – une poêle

3. un four – une plaque électrique – un réfrigérateur – un micro-ondes
4. un paquet – une boîte – une bouteille – un sac – un pot
5. une assiette – un bol – un couteau – un plat – un saladier

2 Les quantités : classez du plus petit au plus grand.

__ une cuillerée – __ un pot – __ un paquet – __ une pincée – __ un verre – __ un sac – __ un bol

3 Barrez les mots impossibles dans ces phrases ;

☞ *Exemple : Coupez les tomates, les oignons, ~~le lait~~.*

1. Versez le pain, l'huile et le vinaigre.
2. Mélangez la cuillère, la farine, le lait et les œufs.
3. Épluchez les pommes de terre, le riz et les carottes.
4. Nettoyez la salade, les yaourts et la crème fraîche.

4 Associez les actions avec les ustensiles ou les ingrédients (deux associations sont parfois possibles).

1. ***On mélange*** → f	a. dans une casserole, une poêle ou une cocotte
2. On coupe	b. avec un couteau
3. On épluche	c. dans un four
4. On met à chauffer	d. un liquide
5. On fait rôtir	e. une salade
6. On verse	f. ***avec une cuillère ou une fourchette***
7. On lave	g. des légumes
8. On cuit	h. dans un four à micro-ondes

5 Remettez la recette de la sauce vinaigrette dans l'ordre.

___ a. Ajoutez une cuillerée de moutarde forte.
___ b. Mélangez bien le sel et la moutarde et ajoutez un peu de poivre.
___ c. Versez ensuite deux cuillerées de vinaigre. Mélangez encore.
___ d. Coupez en petits morceaux les oignons nettoyés.
1 e. Prenez un saladier.
___ f. Enfin, versez quatre cuillerées d'huile et mélangez le tout.
___ g. Mettez au fond du saladier une ou deux pincées de sel.
___ h. Pour finir, ajoutez à la sauce quatre petits oignons coupés.

6 Activité. Vous donnez à votre voisin(e) une recette très simple de votre pays/région ; vous indiquez les ingrédients nécessaires. Il (Elle) vous pose des questions sur les quantités et la préparation.

LES COURSES

LA LISTE DES COURSES

La mère : Allô Stéphanie, c'est maman. Ta journée s'est bien passée au collège ?

Séphanie : Oui, pas mal ; j'ai eu une bonne note en maths.

La mère : Très bien. Écoute, ce soir je rentre un peu tard ; est-ce que tu peux aller au supermarché ? Il faut faire des courses pour ce soir.

Séphanie : Bon d'accord. Qu'est-ce qu'il faut acheter ?

La mère : Prends un papier et écris la liste : alors il faut un litre de lait, un paquet de céréales pour le petit déjeuner. Pour ce soir, achète trois tranches de saumon fumé, une salade verte, une livre de tomates, un paquet de pâtes et un morceau de fromage. Achète aussi une plaquette de beurre et passe à la boulangerie acheter une baguette.

Séphanie : Maman, il n'y a plus de chocolat à la maison, je prends une tablette ?

La mère : Oui, si tu veux, et achète des fruits : des abricots ou des pêches, comme tu veux. Il y a 30 euros dans le tiroir de mon bureau. Merci ma chérie, à tout à l'heure !

Delphine : Bon alors, on la finit cette partie ?

Séphanie : Désolée, Delphine, je dois aller au supermarché. Tu m'accompagnes ?

Delphine : D'accord ! Elles sont toutes pareilles, les mères. Heureusement, elles ont des filles !

À L'ÉPICERIE DU COIN

Le client : Ah ! vous êtes encore ouvert !… Je voudrais une livre de tomates, s'il vous plaît.

L'épicier : Voilà une livre de tomates, elles sont très bonnes ! Et avec ça ?

Le client : Merci, je regarde à l'intérieur… *(Il se sert dans les rayons.)* Alors… il me faut une bouteille d'huile… Ah ! il y a des petites et des grandes : je prends la petite. Une boîte de sardines… des yaourts… *(À l'épicier.)* S'il vous plaît, monsieur, vous avez encore des yaourts au chocolat ?

L'épicier : Désolé, il n'y en a plus.

Le client : Alors tant pis, je prends des yaourts nature…

Le client : Ah oui, j'ai oublié un paquet de café. Ça y est, j'ai tout. *(Il arrive à la caisse.)* Je vous dois combien ?

L'épicier : Ça vous fait 14,85 euros. Tenez, voilà un sac.

Le client : Merci. Bonsoir !

► VOIR AUSSI CHAPITRE 11 « L'ALIMENTATION ET LA CUISINE ».

Les magasins et les produits

Dans...,	**... on achète :**
une boulangerie-pâtisserie	du **pain** : une baguette,... des croissants *(m)*, des gâteaux *(m)*, des tartes *(f)*
une épicerie	– **des produits secs :** des pâtes *(f)*, du riz, de la farine, du sucre, du café, des céréales *(f)*, des biscuits *(m)*... – des **conserves**, des **confitures** *(f)*, des **produits frais** (crémerie, fruits et légumes) – **des boissons** *(f)* **:** de l'eau *(f)*, du vin, du lait, du jus de fruit – **des produits** *(m)* **d'hygiène :** du savon, du dentifrice – **des produits** *(m)* **d'entretien :** de la lessive, des éponges *(f)*
un magasin de primeurs *(m)*	– **des fruits** *(m)* **:** des pommes *(f)*, des poires *(f)*, des bananes *(f)*, des pêches *(f)*... – **des légumes** *(m)* **:** des tomates *(f)*, des haricots *(m)*, des carottes *(f)*, des pommes *(f)* de terre...
une boucherie	**de la viande :** du bœuf (un steak, un rôti), du mouton (des côtelettes), de l'agneau (un gigot), du porc (des côtes), des volailles *(f)* (un poulet, un canard...)
une charcuterie	– **du porc :** de la viande de porc, du jambon, du pâté, de la saucisse, du saucisson – **des plats préparés :** du couscous, du cassoulet, des quiches *(f)*, des salades *(f)*
une poissonnerie	– **du poisson :** un/du saumon, une sole, des sardines *(f)* – **des fruits** *(m)* **de mer :** des crevettes *(f)*, des crabes *(m)*...
une crémerie	du lait, du beurre, du fromage, des yaourts *(m)*, de la crème fraîche, des œufs *(m)*
une pharmacie	**des médicaments** *(m)* **:** des comprimés *(m)*, des pastilles *(f)*, du sirop, des gouttes *(f)*, une crème...

un croissant
une tarte
un savon
une éponge

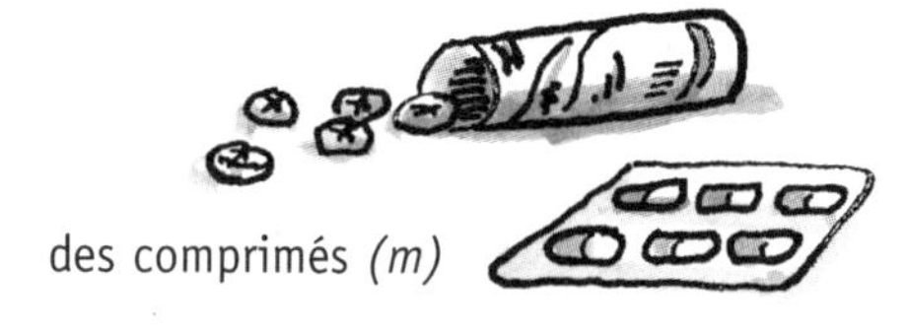
des comprimés *(m)*

de la crème
du sirop

un boucher
une poissonnière

Les magasins et les commerçants

À...	**Chez...**
la boulangerie	le boulanger, la boulangère
la pâtisserie	le pâtissier, la pâtissière
l'épicerie	l'épicier, l'épicière
la boucherie	le boucher, la bouchère
la charcuterie	le charcutier, la charcutière
la poissonnerie	le poissonnier, la poissonnière
la crèmerie	le crémier, la crémière
la pharmacie	le pharmacien, la pharmacienne
au magasin de primeurs	le marchand/la marchande de primeurs

une pharmacienne

une boîte · un paquet · un sac · un tube · un pot · une bouteille · une tranche · une douzaine (d'œufs) · une part

Les quantités

une **boîte** (de haricots verts, de sardines, de pâté)
un **paquet** (de biscuits, de farine, de riz)
un **sac** (d'oignons, de pommes de terre)
un **pot** (de crème fraîche, de confiture, de moutarde)
un **tube** (de mayonnaise, de dentifrice)
une **plaquette** (de beurre), une **tablette** (de chocolat),
une **tranche** (de jambon), un **morceau** (de fromage)
une **douzaine** (d'œufs/d'huîtres) [= 12]
une **part** (de pizza, de tarte)
un **kilo** (de carottes, d'abricots) [= 1000 grammes]
une **livre** ou 500 grammes (de cerises, de petits pois),
un **litre** (d'eau), un **demi-litre** (de lait), un **quart de litre** (de...)
une **bouteille** (de vin, d'eau...)
un **pack** (de lait, de jus de fruits)

Pour demander ce que veut la cliente

- *Vous **désirez**?*
- *Qu'est ce que je vous sers?* **(servir)**

Le client/la cliente demande des articles

- ***Je voudrais** un pain, s'il vous plaît.*
- *Donnez-moi un kilo d'abricots, s'il vous plaît.*
- *Vous avez de la crème fraîche? Je voudrais un petit pot, s'il vous plaît.*
- ***Je cherche** un produit pour nettoyer la salle de bains.*

Le vendeur/la vendeuse (le marchand/la marchande) répond

- *Voilà!/Tenez.*
- *Et avec ça?/Vous désirez/voulez autre chose?* (pour compléter)
- *Désolé(e), je n'ai plus de croissants.*

Pour demander le prix

- *Quel est le prix des abricots?/ Ils sont à quel prix?/Ils font combien?*
- *C'est combien, les cerises?/ C'est combien, le kilo de cerises?*
- *Le steak, il fait quel prix?*
- *La boîte de pâté coûte combien?*
- *Ça fait combien?* (pour le total)
- *Je vous dois combien?* (pour le total)

Pour indiquer le prix

- *Les abricots sont à 2 € le kilo.*
- *La boîte coûte/fait 3,50 €. Elle est à 3,50 €.*
- *Ça fait ... euros en tout.* (pour un total)

Pour faire un commentaire

- *C'est **cher**./Les cerises sont chères.*
  ≠ *C'est **bon marché**./Elles sont bon marché.*
- *C'est **frais**, elles sont fraîches.*
- Pour les fruits: *ils sont beaux, bons, **délicieux**, bien **mûrs**, **sucrés**, **tendres***
  ≠ *ils ne sont pas beaux, ils sont verts* (= ils ne sont pas mûrs), ***durs**, trop mûrs.*

Pour payer

- *Voilà!/Tenez!*
- *Je n'ai pas de **monnaie*** (j'ai seulement un billet).
- *Vous acceptez les chèques/les cartes bancaires?*
- *Je peux payer par chèque/par carte bancaire?*

1 Relevez dans les dialogues les quantités et les produits.

2 Où peut-on acheter ces produits (parfois plusieurs possibilités)?

***une salade** – un gâteau – des pommes de terre – des comprimés – une tranche de jambon – une crème pour les pieds – une plaquette de beurre – des cerises – un croissant – un sirop pour la gorge – un savon – des gouttes pour les yeux – une baguette – des biscuits – des yaourts – des pommes – du lait – un tube de dentifrice – des œufs – une tarte aux abricots – un paquet de lessive*

1. À la boulangerie	2. Chez l'épicier	3. Dans un magasin de primeurs	4. Chez la pharmacienne	5. À la charcuterie	6. Chez le crémier
...	*une salade*	*une salade...*	...	...	...

3 **Complétez cette liste de courses par les quantités suivantes.**

tube – tranches – boîte – paquet – packs – plaquette – douzaine – pot – part – morceau – tablettes – livre – bouteille – sac

1. une ______________ d'eau
2. un ______________ de lessive
3. un ______________ de moutarde
4. une ______________ d'œufs
5. une ______________ de beurre
6. un ______________ de dentifrice
7. deux ______________ de lait
8. une ______________ de sucre en morceaux
9. une ______________ de pizza
10. un ______________ de pommes de terre
11. une ______________ d'abricots
12. trois ______________ de jambon
13. deux ______________ de chocolat
14. un ______________ de fromage

4 **Mettez en relation les phrases de sens proche puis indiquez (M) pour la marchande et (C) pour la cliente.**

1. (C) ***Elles sont à quel prix ?*** → i
2. ___ Vous désirez ?
3. ___ Et avec ça ?
4. ___ Je peux payer par carte ?
5. ___ Donnez-moi des cerises.
6. ___ Vous en voulez combien ?
7. ___ Je vous dois combien ?
8. ___ C'est trop cher.
9. ___ C'est tout.

a. ___ Qu'est-ce que je vous donne ?
b. ___ Ça fait combien en tout ?
c. ___ Je m'arrête là.
d. ___ Ce n'est pas bon marché !
e. ___ Je voudrais des cerises.
f. ___ Vous désirez autre chose ?
g. ___ Vous acceptez les cartes bancaires ?
h. ___ Je vous en donne une livre, un kilo ?
i. (C) ***Elles font combien ?***

5 **Complétez ces dialogues par les verbes suivants à la forme correcte.**

servir – choisir – donner – devoir – faire – vouloir – prendre – désirer

1. Madame, vous ______________ ?
   – Je ______________ un kilo de haricots verts ; ______________ -moi aussi une livre de pêches, s'il vous plaît.
   – Elles sont bien sucrées, je vous ______________ les plus grosses. Et avec ça ?
   – C'est tout, je vous ______________ combien ?
   – Ça ______________ 5,30 euros.
2. Qu'est-ce que je vous ______________ ?
   – Je vais ______________ un kilo de pommes et des cerises.
   – Vous ______________ autre chose ?
   – Non, c'est tout pour aujourd'hui.

6 **Activités. Dialogues à préparer par écrit ou à jouer deux par deux.**

– Vous êtes au marché, vous achetez cinq produits. Précisez les quantités. Vous ne prenez pas un article et vous faites un commentaire. Vous payez, vous n'avez pas de monnaie.
– Vous êtes à l'épicerie, vous achetez cinq produits. L'épicier n'a plus un des produits. Précisez les quantités. Vous payez par chèque.

LA MAISON et LE LOGEMENT

RECHERCHE D'APPARTEMENT

(Dans une agence immobilière.)

La cliente : Bonjour madame, nous cherchons un appartement à louer.

L'employée : Oui, quel type de logement cherchez-vous ?

La cliente : Il nous faut un cinq-pièces, avec trois chambres, un grand séjour et un bureau.

L'employée : Dans quel quartier aimeriez-vous habiter ?

La cliente : Plutôt dans un quartier sympa, près de la rivière, peut-être. Nous voudrions faire des promenades le dimanche avec les enfants, sans prendre la voiture. Je cherche aussi un quartier animé, avec des magasins, à côté d'un marché pour faire les courses facilement.

L'employée : Alors... j'ai un bel appartement entre la place du Vieux Marché et le pont du Jour.

La cliente : Oui, c'est un quartier agréable, animé... mais peut-être bruyant, non ?

L'employée : Oh, vous savez, les voitures sont interdites de 10 heures à 22 heures.

La cliente : Bien. Et l'appartement se trouve dans un immeuble neuf ?

L'employée : Non, il est dans un immeuble ancien, il a beaucoup de charme.

La cliente : Il y a une terrasse ?

L'employée : Non, mais le salon et une chambre ont un grand balcon.

La cliente : Hum, c'est bien... Et il y a un parking ?

L'employée : Non, mais le parking du pont du Jour est à quelques mètres.

La cliente : Il faut voir.... Est-ce que la cuisine est grande ?

L'employée : Oui, et elle est bien équipée. Vous voulez visiter ?

La cliente : Oui, volontiers, mais dites-moi : il fait quel prix ?

L'employée : Le loyer est de 1 200 euros par mois.

La cliente : Les charges sont comprises ?

L'employée : Non, il faut compter environ 200 euros en plus par mois pour les charges.

La cliente : Je vais en parler à mon mari. Je peux avoir la carte de votre agence ? Une dernière question : il se trouve à quel étage ?

L'employée : Au quatrième.

La cliente : Il y a un ascenseur ?

L'employée : Non.

La cliente : Impossible ! Mes enfants ont deux et trois ans. Je ne me vois pas dans les escaliers, après le marché ou une promenade, avec les deux petits qui ne peuvent pas monter seuls... Merci madame. Appelez-moi si vous avez autre chose à me proposer.

L'employée : C'est d'accord. Au revoir, madame.

LA MAISON DE NOS RÊVES

Le fils : Allô maman ! Bonjour, c'est Michel. Tu vas bien ?

La mère : Oui, et toi ?

Le fils : Très très bien ! Je crois qu'on a trouvé la maison de nos rêves...

La mère : Ah bon ! Elle est où ?

Le fils : En Bourgogne, dans un petit village. C'est une vieille maison, pas trop grande, avec un jardin. Elle nous plaît beaucoup.

La mère : Il y a combien de pièces ?

Le fils : Un grand séjour au rez-de-chaussée, avec un coin cuisine et une belle cheminée. À l'étage, sous le toit, il y a trois petites chambres. C'est exactement ce qu'on cherche !

La mère : Elle est en bon état, j'espère.

Le fils : Oh, il y a quelques travaux : l'électricité et les peintures sont à refaire... Mais tu sais, j'aime bien bricoler et pendant ce temps, Alice fera le jardin avec Marine.

La mère : Alors, vous allez l'acheter ?

Le fils : Je crois ; j'ai rendez-vous à la banque demain.

La mère : J'espère que ça va marcher ! Comme ça, je viendrai passer le week-end avec vous !

Le fils : Attends, on n'est pas encore propriétaires... Mais bien sûr, il y aura une chambre pour toi !

► VOIR AUSSI CHAPITRE 14 « LES MEUBLES ».

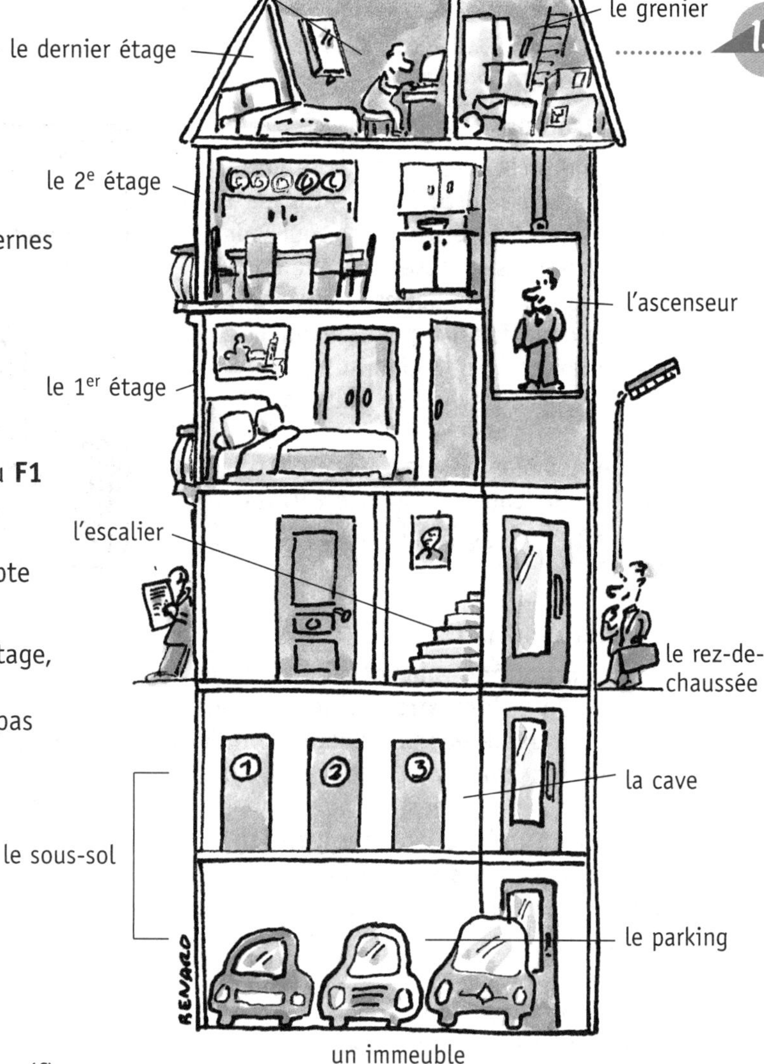

Un logement en ville

■ Dans les **immeubles** *(m)* **récents** (= modernes = neufs), il y a un **ascenseur** pour monter dans les **étages** *(m)*.
Dans les immeubles **anciens** (plus vieux), il faut monter par l'**escalier** *(m)*.
À chaque étage, il y a un ou plusieurs **appartements** *(m)*.
Ils sont de tailles différentes : un **studio** ou **F1** (une pièce unique), un **deux-pièces** ou **F2**, un **trois-pièces** ou **F3**, etc.
Pour indiquer le nombre de pièces, on compte seulement les **pièces principales**.

■ Dans les immeubles **anciens**, au dernier étage, il y a quelquefois des **chambres de bonne**.
Des étudiants y habitent souvent, ce n'est pas trop cher.

■ **Le quartier**
un quartier animé (avec des magasins, des restaurants et des cafés)
un quartier calme/tranquille ≠ bruyant (où il y a beaucoup de bruit)

Vivre à la campagne

À la campagne et dans les **villages** *(m)* (= les très petites villes), il y a des **maisons** *(f)*.
Il peut y avoir une **cour** et un **jardin**, avec parfois un **garage**.

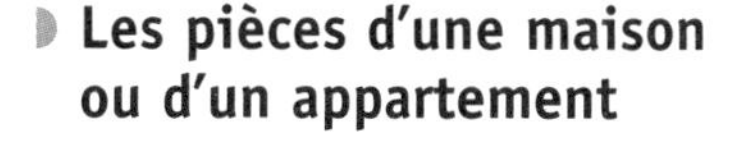

Les pièces d'une maison ou d'un appartement

■ **Pièces principales**
le **salon** ou le **séjour** (= pour lire, se détendre, regarder la télévision, écouter de la musique), la **salle à manger** (= pour prendre les repas, cette pièce existe plus souvent à la campagne et chez des personnes âgées), les **chambres** *(f)* (= pour dormir, jouer et étudier), le **bureau** (= pour étudier et travailler)

■ **Pièces fonctionnelles**
– la **cuisine équipée** (= avec les appareils électroménagers), la **salle de bains**, les **toilettes** *(f)* ou **W.-C.** *(m)*, le **couloir**, l'**entrée** *(f)*
– la **cave** (= au sous-sol, pour ranger le vin et les vieilles choses), le **grenier** (= dans les vieilles maisons, sous le toit, pour ranger les vieilles choses), le **garage** (pour ranger/garer la (les) voiture(s)/vélos/etc.), l'**atelier** *(m)* (pour bricoler, peindre)

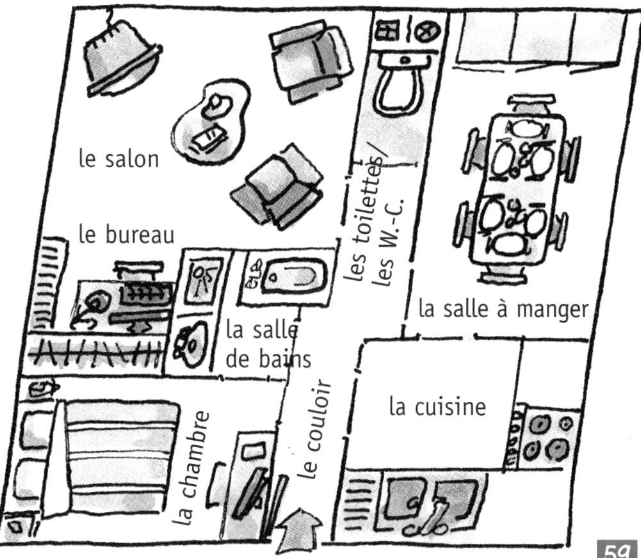

La structure

Dans une pièce, il y a les quatre **murs** *(m)*, avec une **porte** (pour entrer ou sortir) et des **fenêtre(s)** *(f)* pour voir dehors ou laisser passer la lumière du jour, il y a aussi le **sol** et le **plafond**. Pour le **chauffage**, il peut y avoir un **radiateur** ou une **cheminée** (surtout dans les vieilles maisons et à la campagne).
Devant les grandes fenêtres, il peut y avoir un **balcon** et aussi une **terrasse** (au dernier étage, sur le toit ou au rez-de-chaussée).

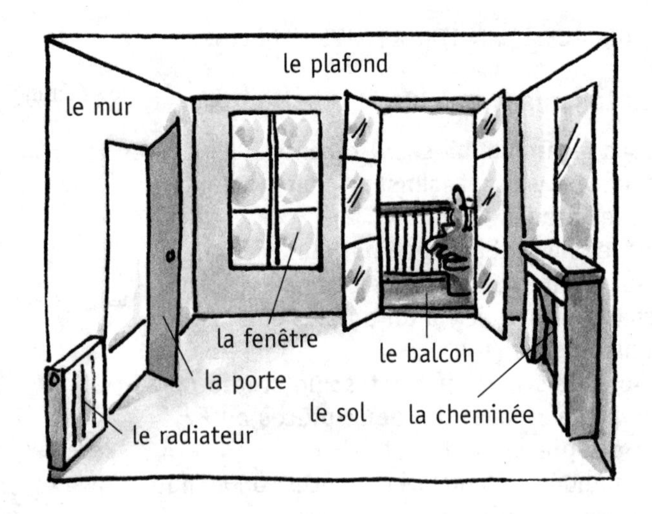

Louer ou acheter

Le (la) **propriétaire achète** un logement pour y habiter. S'il (si elle) ne l'habite pas, il (elle) peut le **louer** à un(e) **locataire** (qui loue le logement et paie chaque mois un **loyer**).
Quand on **passe par une agence** (on demande à une **agence immobilière** de trouver un logement), on paie des **frais** *(m)* **d'agence.**
En plus du loyer mensuel (par exemple, 700 euros par mois), le locataire paie des **charges** *(f)* pour **l'entretien** *(m)* (le jardin, le **gardien**, le ménage de l'immeuble). Quand les charges sont **comprises**, on ne les paye pas en plus du loyer.
Emménager (entrer dans un nouvel appartement, une nouvelle maison) ≠ **déménager** (partir d'un logement)

Les travaux

bricoler ou faire du **bricolage**: peindre, refaire la peinture, changer le papier peint, mettre du papier peint, refaire l'électricité *(f)*, la plomberie
jardiner = faire du **jardinage**, faire le jardin

1 Assemblez les définitions et les mots correspondants.

C'est la pièce où...

1. ***on va quand on a un besoin urgent:*** → e
2. on prépare les repas et on peut y manger:
3. on entre en premier:
4. on dort, on range ses affaires:
5. on peut se laver:
6. on travaille, on lit, on étudie:
7. on passe pour aller dans une autre pièce:

a. l'entrée
b. le bureau
c. la cuisine
d. le couloir
e. ***les toilettes***
f. la salle de bains
g. la chambre

2 Devinettes: Qu'est-ce que c'est?

☞ *Exemple: C'est un appartement d'une seule pièce avec une petite salle de bains et un coin cuisine.*
► ***C'est un studio.***

1. C'est un bâtiment où il y a plusieurs étages et plusieurs appartements: → ____________
2. Ils séparent les pièces d'une maison: → ____________

3. Il protège toute la maison de la pluie : → ____________

4. C'est la première pièce qu'on traverse quand on entre dans un logement : → ____________

5. Quand il n'y a pas d'ascenseur, il faut le monter à pied : → ____________

3 Complétez ces phrases par les mots suivants.

cheminée – cour – fenêtres – cave – jardins – étage – balcon – grenier – ascenseur

☞ *Exemple : Dans la* ***cave****, on range le vin et les objets qu'on n'utilise pas souvent.*

1. Dans le ____________ des grands-parents, on peut trouver des vieux vêtements, des vieux livres et des meubles qu'on n'utilise plus.
2. Nous habitons au sixième ____________, heureusement, il y a l' ____________ !
3. Le salon est très clair : il y a trois ____________ qui ouvrent sur un petit ____________.
4. Ma chambre donne sur une petite ____________, c'est calme et j'entends les oiseaux.
5. À Paris, il n'y a pas de place pour les ____________ ; les immeubles sont trop serrés.
6. On la trouve souvent dans les vieilles maisons pour se chauffer : ____________.

4 Compléter ces phrases avec les expressions suivantes à la forme correcte.

refaire l'électricité – refaire la plomberie – peindre – jardiner – bricoler

☞ *Exemple : Je n'aime pas la couleur de la cuisine, je voudrais la* ***peindre*** *en jaune clair.*

1. Mon mari déteste ____________ dans la maison, alors on prend des ouvriers.
2. À côté de la maison, nous avons une cour avec de jolies fleurs ; j'aime beaucoup ____________.
3. Dans la salle de bains, il y a souvent des problèmes avec l'eau ; il faut ____________.
4. La lumière ne marche plus dans le garage ; il faut ____________.

5 Soulignez l'expression juste.

☞ *Exemple : Le* ***locataire*** *– propriétaire est la personne qui paie un loyer.*

1. Chaque mois, en plus du loyer, le locataire doit payer des charges – des frais d'agence.
2. Le propriétaire loue – achète un logement pour y habiter.
3. Les étudiants habitent souvent sur le toit – dans des chambres de bonne.
4. Quand il y a un gros problème de lumière, il faut refaire l'électricité – la plomberie.
5. Ma mère a une cuisine où il y a tous les appareils, elle est très bien refaite – équipée.

6 Activité.

Vous trouvez cette petite annonce dans le journal.
Vous appelez votre ami(e) qui cherche un appartement et vous le décrivez.
Votre ami(e) vous pose des questions.

À LOUER
près bibliothèque, dans immeuble
récent, beau F3, grand living,
deux chambres, cuisine équipée,
6e étage ascenseur, parking,
1 300 euros/mois charges comprises.
Contact : Mme Petit, 02 34 69 07 12.

LE STUDIO DE NATHALIE

(Dans un café, un dimanche matin.)

Nathalie : Ça y est, je prends un studio. Mes parents sont d'accord et ma grand-mère va payer la moitié du loyer. C'est près de la fac.

Valérie : Tu as de la chance, mes parents ne veulent pas que j'habite seule. Je viendrai dormir chez toi de temps en temps, d'accord ?

Nathalie : Bien sûr ! Dis, tu ne veux pas venir avec moi au marché aux puces ? Il faut que j'achète quelques meubles : j'ai seulement un lit, ma mini-chaîne, mon ordinateur, une plaque électrique et un vieux réfrigérateur.

Valérie : De quoi tu as besoin ? Mes parents ont des vieux meubles dans leur garage. Ce serait peut-être bien pour toi dans un premier temps !

Nathalie : Ce serait super… qu'est-ce qu'il y a ?

Valérie : Une table et des chaises, une étagère et une petite commode. Il y a aussi un fauteuil ; il n'est pas très beau mais tu peux mettre un joli tissu dessus. Et il y a aussi un vieux tapis marocain.

Nathalie : Et tu crois que tes parents seront d'accord pour me prêter tout ça ?

Valérie : Viens à la maison prendre le café, on leur demandera.

Nathalie : D'accord, je peux venir vers deux heures ?

Valérie : Oui, très bien, à tout à l'heure.

LE MEUBLE COMBINÉ DE MARINE

La vendeuse : Madame, monsieur, vous désirez ?

L'homme : Nous cherchons un meuble lit-bureau-armoire pour notre fille de onze ans.

La vendeuse : Je vois, vous voulez un meuble combiné tout en un : le lit en hauteur, un bureau en dessous et, à côté du bureau, une armoire. C'est bien ça ?

L'homme : Oui, c'est ça.

La femme : Est-ce qu'il y a aussi des étagères près du bureau ?

La vendeuse : Oui, nous avons ce modèle en bois blanc : il est joli et très pratique.

La femme : Oh, c'est exactement comme le meuble de sa copine Karine.

L'homme : Et ça fait combien ?

La vendeuse : L'ensemble tout compris fait 275 euros. C'est en promotion.

L'homme : Bien ; ça va. On le prend, tu es d'accord ?

La femme : Oui, bien sûr, Marine va être tellement contente !

► VOIR AUSSI CHAPITRE 13 « LA MAISON ET LE LOGEMENT ».

Les meubles et l'équipement

Dans le salon

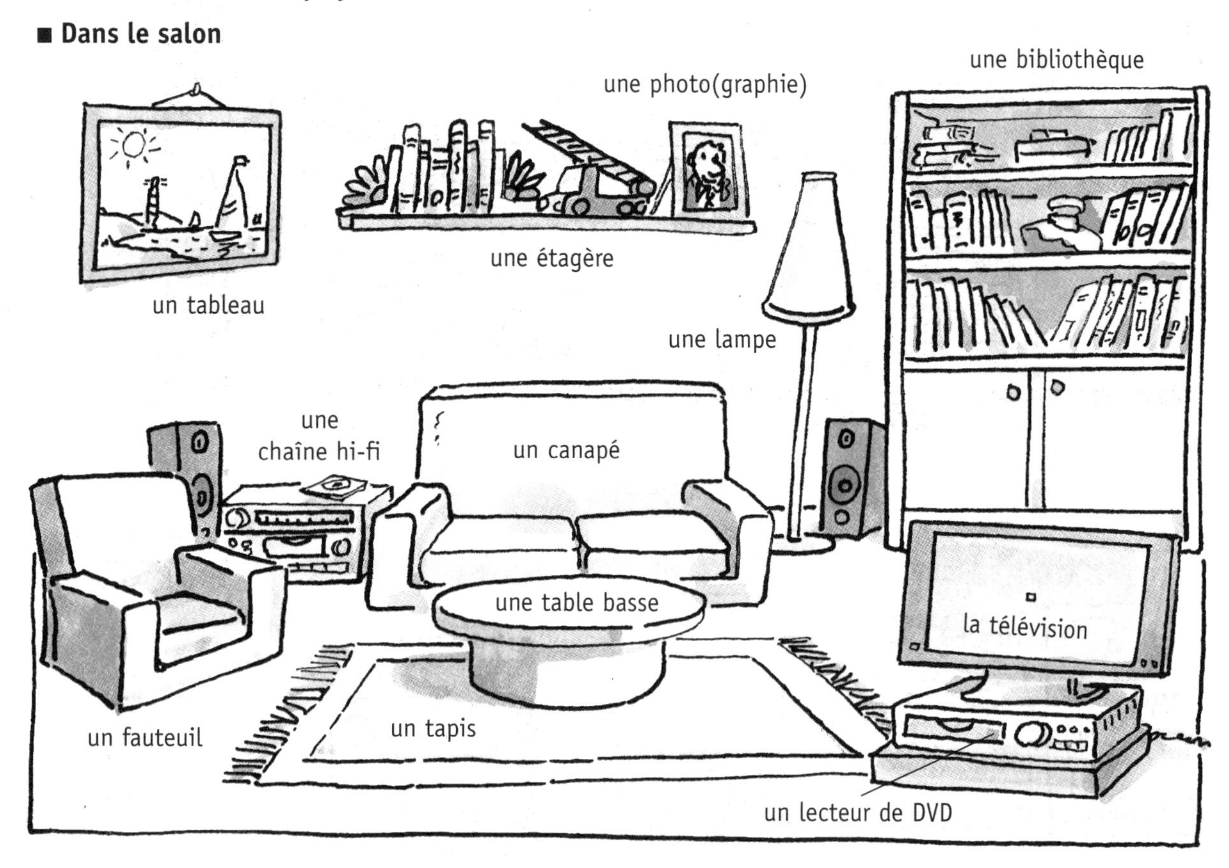

Dans la salle à manger

Dans une chambre

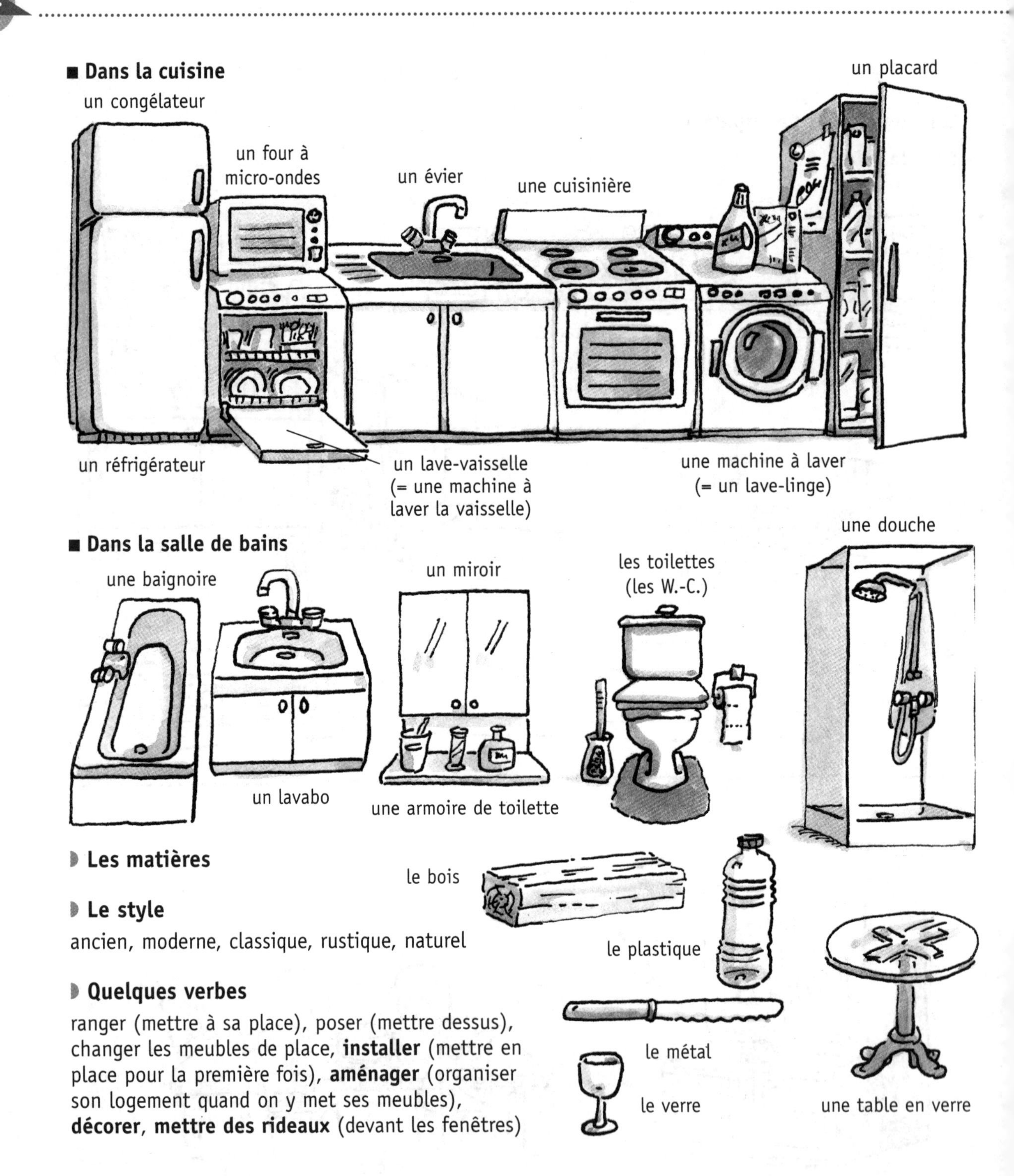

■ **Dans la cuisine**

■ **Dans la salle de bains**

Les matières

Le style

ancien, moderne, classique, rustique, naturel

Quelques verbes

ranger (mettre à sa place), poser (mettre dessus), changer les meubles de place, **installer** (mettre en place pour la première fois), **aménager** (organiser son logement quand on y met ses meubles), **décorer**, **mettre des rideaux** (devant les fenêtres)

1 **Cherchez dans le premier dialogue tous les meubles du futur studio de Nathalie.**

2 **Remettez les meubles et les équipements suivants dans la pièce qui convient (certains peuvent aller dans plusieurs pièces).**

un lit *– un canapé – un réfrigérateur – une baignoire – un évier – une table – une lampe – un bureau – un fauteuil – un tapis – un miroir – une étagère – un placard – un lave-vaisselle – une table basse – une chaise – une chaîne hi-fi – un lavabo.*

1. Le salon	**2.** La salle à manger	**3.** La chambre	**4.** La cuisine	**5.** La salle de bains
		un lit		

3 Barrez l'élément qui ne va pas dans la série.

☞ *Exemple : une armoire – une commode – ~~un tapis~~ – un buffet – une bibliothèque*

1. un placard – un évier – un lavabo – une baignoire – une machine à laver
2. un fauteuil – une chaise – une table – un canapé – un lit
3. un réfrigérateur – un four – une table – un congélateur – des plaques électriques
4. une affiche – un tableau – un placard – une photographie – un miroir
5. une chaise – un évier – un fauteuil – un bureau – une lampe – une bibliothèque
6. un ordinateur – une chaîne hi-fi – une télévision – un lecteur de DVD – une table basse

4 Qu'est-ce que c'est ?

une bibliothèque – un réfrigérateur – un bureau – un canapé – une commode – un lavabo – un placard

☞ *Exemple : On écrit et on travaille dessus :* ► ***un bureau.***

1. On peut ranger dedans des vêtements, des chaussures mais aussi des livres, des valises ou des ustensiles de cuisine : ____________
2. On y range des petits vêtements comme des chemises, des sous-vêtements ou des chaussettes : ____________
3. C'est l'endroit où on peut se laver les mains, le visage, les dents : ____________
4. C'est l'appareil qui permet de conserver les aliments frais : ____________
5. On y met des livres, des petits objets décoratifs : ____________
6. Plusieurs personnes peuvent se reposer dedans mais il n'est pas dans la chambre. ____________

5 Complétez ces phrases.

1. Dans la chambre de Julie, il y a un petit lit pour dormir, un ____________ pour faire les devoirs, une ____________ pour ranger les pulls, les T-shirts et les sous-vêtements. Il y a aussi une ____________ pour mettre les robes, les jupes, les pantalons et le manteau.
2. Dans la salle à manger de mes grands-parents, il y a une grande ____________ ancienne avec huit ____________, un vieux ____________ pour ranger la vaisselle et dans un coin, il y a la ____________ : ils la regardent quand ils mangent. Il y a aussi un grand ____________ sur la cheminée.
3. Je voudrais avoir un bureau pour moi tout seul avec une ____________ pleine de livres et de CD, un grand ____________ pour poser mon ordinateur et un ____________ confortable pour lire.
4. Dans la salle de bains, il n'y a pas de ____________ et je ne peux pas prendre de bains, mais l'eau de la ____________ et du ____________ est bien chaude.

6 Activité. **Décrivez à votre voisin(e) votre pièce préférée (en rêve ou en réalité), avec les meubles, leur style et la décoration. Il (elle) vous pose des questions et vous lui répondez.**

LA PETITE JUPE NOIRE

(Devant une boutique de vêtements.)

Isabelle : Regarde cette jupe, elle n'est pas mal, non ?

Corinne : Laquelle, la rouge ?

Isabelle : Non, la noire. J'ai besoin d'une jupe pour sortir. Je vais l'essayer, tu viens ?

(Elles entrent dans la boutique.)

La vendeuse : Madame, vous désirez ?

Isabelle : Je voudrais voir la jupe noire dans la vitrine.

La vendeuse : Oui, cette jupe longue est très mode. Vous faites quelle taille ?

Isabelle : Du 38.

La vendeuse : Désolée, je n'ai plus ce modèle en 38 ; on l'a beaucoup vendu ! Mais j'ai quelque chose qui peut vous aller. Regardez cette jupe noire. Je l'ai en 38. Vous voulez l'essayer ?

Isabelle : Oh, mais elle est courte…

La vendeuse : Vous savez, regardez les magazines : le court, c'est à la mode cet été.

Isabelle : Bon… Où est la cabine d'essayage ?

La vendeuse : Au fond, derrière la caisse.

(Isabelle essaie la jupe.)

Isabelle : Alors, qu'est-ce que tu en penses ? Comment tu la trouves ?

Corinne : Elle te va bien mais ce n'est pas vraiment ton style… Tu es toujours en jupe longue ou en pantalon…

Isabelle : Moi, elle me plaît bien.

La vendeuse : Oh, mais elle vous va très bien. Et elle va bien avec votre chemisier.

Isabelle : Écoutez, je ne suis pas très sûre. Je vais réfléchir. Ah oui… elle fait combien ?

La vendeuse : 78 euros. Elle est en solde.

Isabelle : Bien, merci madame.

(Dans la rue.)

Corinne : Tu vas l'acheter ?

Isabelle : Non, elle est trop chère. C'est la fin du mois et je n'ai plus d'argent !

LES MOCASSINS EN DAIM

(Dans un magasin de chaussures.)

La vendeuse : Monsieur, je peux vous aider ?

Le client : Oui, je cherche une paire de chaussures assez sport.

La vendeuse : Vous avez vu un modèle dans la vitrine ?

Le client : Oui, des mocassins marron, en daim. J'hésite entre les beiges et les marron.

La vendeuse : Oui, je vois. Quelle est votre pointure ?

Le client : Je fais du 42, je pense.

La vendeuse : Asseyez-vous, je vous apporte le modèle en beige et en marron… Voilà, essayez… C'est un joli modèle, à la fois sport et classique, et de très bonne qualité… Vous vous sentez comment ?

Le client : Je crois qu'elles sont trop petites, non ? Mon pied est un peu serré.

La vendeuse : Attention, parce qu'elles vont s'élargir un peu. Vous voulez essayer la pointure au-dessus ?

Le client : Oui, s'il vous plaît.

(Deux minutes plus tard.)

La vendeuse : Voilà. Elles vous vont comment ?

Le client : Je crois qu'elles sont trop grandes. Je vais prendre le modèle en 42, en marron. Elles font quel prix ?

La vendeuse : 105 euros.

Le client : Bon, je les prends. Je peux vous payer par carte bancaire ?

La vendeuse : Bien sûr. Je vous laisse composer votre code. Voilà votre ticket et vos chaussures.

Le client : Merci mademoiselle, au revoir.

► VOIR AUSSI CHAPITRE 5, « LES VÊTEMENTS ET LES COULEURS ».

Pour acheter un vêtement

LA BOUTIQUE

- regarder dans la **vitrine** (= la façade en verre) du **magasin** et **choisir** un **modèle**.
- La vendeuse prend contact :
  Vous désirez ? Je peux vous aider ?
- choisir un modèle (= un **article**) :
  Je cherche un chemisier pour aller à une soirée/ pour aller avec ce pantalon.
  Je voudrais voir/essayer ce modèle.
- demander une **taille** (= une grandeur, le plus souvent, du 36/XS au 44/XL, pour les femmes) :
  Je fais du 38./Donnez-moi ce modèle en 38.
- **essayer** (= mettre le vêtement) dans une **cabine d'essayage** :
  Je peux essayer ?
- demander/donner un avis, se renseigner :

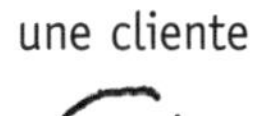

essayer un modèle

SUR LA TAILLE :	*Comment ça vous va ?* *Vous vous sentez comment ?* *– Ça me va (très) bien.* *C'est trop long/court/large/étroit/serré/grand/petit.* *Ça va* ***s'élargir*** (= devenir plus large) ≠ ***rétrécir*** (= devenir plus serré, plus petit)
SUR LA MATIÈRE :	*C'est en quoi ?* *– C'est en coton (m), en soie (f), en laine (f), en cuir (m), en daim (m).*
SUR LA COULEUR :	*Ce modèle existe en quelles couleurs ? Vous avez d'autres couleurs ?* *Vous avez ce chemisier en rouge/en noir ?*
SUR LE STYLE :	*C'est mon style ?* *Ce n'est pas trop (Ça ne fait pas trop) classique/mode* (= à la mode). *C'est/ça fait jeune, sport, décontracté, habillé.*

– demander une autre taille :
Je peux avoir la taille au-dessus/au-dessous ?
– demander le prix :
Il (elle) fait combien ? Il (elle) est à quel prix ? Il (elle) coûte combien ?
Il (elle) est ***en solde****?* (les soldes = deux fois par an, on vend moins cher)
– décider de ne pas acheter :
C'est un peu cher; je ne suis pas sûr(e), je vais réfléchir.
– décider d'acheter :
Je le (la) prends.
– **payer** en espèces (en euros), par chèque, par carte (bancaire) :
Vous acceptez les chèques, les cartes bancaires ? Je peux payer par chèque, par carte ?

Pour acheter des chaussures

essayer une paire de chaussures *(f)*, de tennis *(m)*, de bottes *(f)*, de mocassins *(m)*
Quelle est votre ***pointure****? – Je fais du 38.*

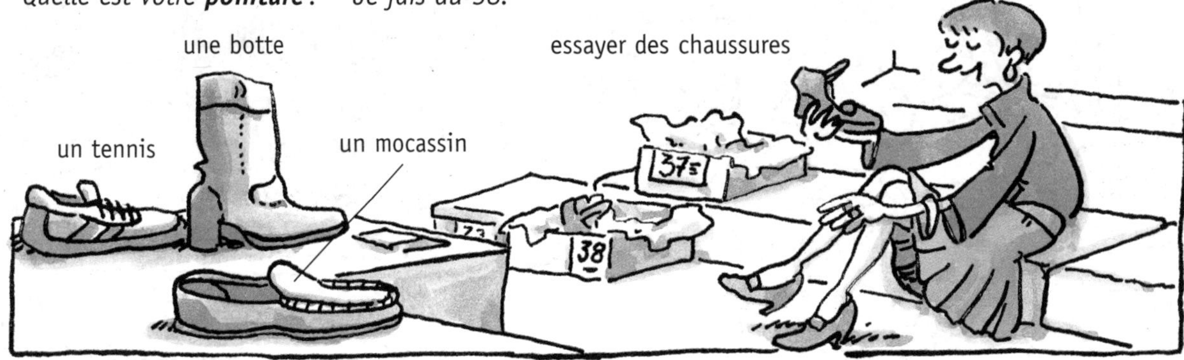

1 Relevez dans les dialogues les expressions en rapport avec :

1. les caractéristiques du modèle – **2.** la taille – **3.** la matière

2 Barrez les mots qui ne vont pas avec les autres.

☞ *Exemple : chemisier – jupe – robe – ~~chaussures~~ – pull – veste*

1. serré – grand – court – large – long – mode – petit

2. coton – laine – cuir – style – daim – soie

3. classique – sport – décontracté – qualité – mode – jeune

3 Associez les questions (ou remarques) et les réponses.

1. ***Est-ce que ça rétrécit ?***
2. C'est un peu trop grand, non ?
3. Vous désirez ?
4. Quelle est votre taille ?
5. Ces chaussures sont un peu petites !
6. Comment vous sentez-vous ?
7. C'est de la soie ?
8. Il fait combien ?
9. Je peux payer par carte ?

a. Je vais vous donner une pointure au-dessus.
b. Très bien, elles sont très confortables.
c. Je vais vous donner la taille au-dessous.
d. Il est à 25 euros.
e. Désolée, nous n'acceptons que les chèques.
f. Non, c'est du coton.
g. ***Non, ça ne change pas au lavage.***
h. Je fais du 42.
i. Je voudrais voir le pull blanc dans la vitrine.

4 **Complétez ces phrases par les verbes suivants.**
voir – sont – faites – va – payer – essayer – sentez – font – prends – apporte – aider

1. – Bonjour madame, je peux vous ________ ? – Oui, je voudrais ________ les bottes noires dans la vitrine. Je peux les ________ ?
2. – Bien sûr, vous ________ du combien ? – Du 37 et demi.
3. – Voilà, comment vous ________- vous ? – Elles sont un peu trop petites.
4. – Je vous ________ un 38... Ça ________ mieux ? – Oui, c'est parfait. Elles ________ à quel prix ? – Elles ________ 55 euros.
5. – Très bien, je les ________. Je peux vous ________ par chèque ? – Bien sûr, au revoir madame.

5 **Associez les expressions de sens proche.**

1. ***Vous désirez ?*** → g
2. Vous faites du combien ?
3. Je fais du 37.
4. Ça vous va très bien.
5. Il existe en quelles couleurs ?
6. Je voudrais la taille au dessus.
7. Il fait combien ?
8. Je ne suis pas sûr(e).

a. Quelle est votre taille/pointure ?
b. C'est trop petit.
c. Quel est son prix ?
d. Je vais réfléchir.
e. Ce modèle est fait pour vous.
f. Vous avez ce modèle en d'autres couleurs ?
g. ***Je peux vous aider ?***
h. Ma pointure, c'est 37.

6 **Remettez ce dialogue dans l'ordre.**

___ **a.** – Le pantalon court noir ?
___ **b.** – Oui, merci... Il me va comment ?
___ **c.** – Il fait combien ?
___ **d.** – Voilà le modèle en 40 en blanc. Vous voulez l'essayer ?
1 **e.** – Mademoiselle, vous désirez ?
___ **f.** – Oui, c'est ça ; vous l'avez en d'autres couleurs ?
12 **g.** – Très bien, je le prends.
___ **h.** – Je fais du 40. Je le voudrais en blanc.
___ **i.** – C'est exactement votre taille.
___ **j.** – Je voudrais essayer le pantalon court dans la vitrine.
___ **k.** – 45 euros.
5 **l.** – Il existe en blanc, en beige et en bleu. Quelle est votre taille ?

7 **Activité. Vous entrez dans un magasin pour acheter une paire de chaussures. La vendeuse vous interroge sur le modèle, la couleur, la taille. Vous essayez, vous demandez le prix et vous les achetez, ou non.**

Bilan nº 3

1 Dans quel magasin êtes-vous pour acheter ces produits ? Et comment les demandez-vous ?

☞ *Exemple : Une sole, du saumon et un crabe.*

► ***Je suis à la poissonnerie/chez le poissonnier : « Je voudrais/Donnez-moi une sole, un morceau de saumon et un crabe, s'il vous plaît. »***

1. Deux croissants, un pain au chocolat et une baguette.
2. Une bouteille de vin, une plaquette de beurre et un paquet de café.
3. Un kilo de tomates, une salade et une livre de fraises.
4. Des yaourts, un camembert et un pot de crème fraîche.

2 Associez les quantités et les produits pour terminez les phrases (parfois, plusieurs possibilités).

1. Je voudrais un paquet de
2. Je vais prendre une douzaine d'
3. Donnez-moi un pot de
4. Je voudrais une bouteille de
5. Donnez-moi un tube de
6. Je voudrais une tablette de
7. Je vais prendre deux parts de
8. Je voudrais un morceau de
9. Donnez-moi une plaquette de

a. œufs
b. dentifrice
c. chocolat noir
d. fromage
e. beurre
f. biscuits
g. jus d'orange
h. moutarde
i. pizza

3 Complétez ces extraits de recettes avec les expressions suivantes.

faites cuire – ajoutez – versez – mélangez – mettez au four – coupez – lavez – épluchez – servez

1. Prenez trois jaunes d'œuf, ____________ la farine, ____________ le lait et ____________ bien. Ensuite ____________ chaud 45 minutes. Quand c'est cuit, ____________ avec une crème légère.
2. ____________ les tomates dans l'eau froide, ____________ les carottes et ____________ -les en petits morceaux. Puis ____________ les carottes dans une poêle.

4 Associez les questions et les réponses.

1. Ton loyer fait combien ?
2. Vous avez combien de pièces ?
3. L'appartement est à quel étage ?
4. Est-ce que les charges sont comprises ?
5. Le salon est clair ?
6. Vous avez un parking ?
7. La cuisine est équipée ?
8. Il y a un jardin ?
9. Il y a des travaux à faire ?

a. – Oui, il y a deux grandes fenêtres.
b. – C'est au sixième étage.
c. – Non, mais il y a une cour devant la maison.
d. – Non, mais il y a un garage pas très loin.
e. – Oui, il y a même un sèche-linge !
f. – Oui, il faut refaire la peinture des chambres.
g. – Je paie 650 euros par mois sans les charges.
h. – C'est un F3 et le salon est assez grand.
i. – Non, j'ai 150 euros par mois en plus du loyer.

5 Meublez ces pièces avec les meubles suivants (parfois, plusieurs possibilités).

un canapé – un grand lit – une armoire de toilette – une machine à laver – un lavabo – un évier – deux fauteuils – un bureau – une commode – une table et quatre chaises – une armoire – un tableau – un tapis – un buffet – des placards – une table basse – une cuisinière – des étagères – une baignoire – un réfrigérateur – une chaise – une chaîne hi-fi – un miroir

1. Dans le salon-salle à manger, je mets : ______
2. Dans la chambre, je mets : ______
3. Dans la cuisine, il y a : ______
4. Dans la salle de bains, il y a : ______

6 Complétez ces phrases avec les expressions suivantes.

repeindre, installer, ranger, décorer, changer de place, aménager, bricoler, mettre

1. Mon père aime ______ dans le garage ; maintenant, il répare l'aspirateur.
2. Cet été, nous voulons ______ le couloir en jaune, c'est plus clair.
3. Il faut ______ ces vieux vêtements au grenier ; on ne les met pas souvent.
4. On a une nouvelle machine à laver et le plombier vient l' ______ lundi matin.
5. J'ai envie de ______ le salon : ______ de nouveaux rideaux, ______ le canapé.
6. On déménage le mois prochain ; est-ce que tu viendras nous aider à ______ notre nouvel appartement avec nous ? Tu as plein d'idées !

7 Associez les éléments qui vont ensemble (parfois plusieurs possibilités).

1. Je voudrais voir ces mocassins…
2. J'aime bien cette robe…
3. Nous avons une jolie table…
4. Je voudrais essayer ces bottes…
5. Nous cherchons des étagères rustiques…
6. Nous avons ce pull…
7. Elle a acheté un très beau manteau…
8. Dans la cuisine, il y a une étagère très moche…

a. en laine
b. en 38
c. en daim
d. en bois
e. en vert
f. en verre
g. en plastique
h. en cuir

8 Ajoutez les deux adjectifs entre parenthèses dans ces phrases.

1. Nous cherchons un buffet *(petit – rustique)* pour mettre à la campagne. → ______
2. J'aime bien cette jupe (*longue – noire*). → ______
3. J'adore tes chaussures *(beiges – nouvelles*). → ______
4. Nous avons acheté une table *(grande – basse)*. → ______
5. On va installer dans la cuisine des placards *(blancs – nouveaux)*. → ______
6. Cette jupe ne me va pas ; je préfère ma jupe *(vieille – rouge)*. → ______

L'ÉCOLE ET LES ÉTUDES

QUELLE VIE !

Christophe : Qu'est-ce que tu as, tu es malade ?

Thomas : Non, mais le lycée me fatigue : huit heures de cours aujourd'hui, c'est beaucoup.

Christophe : Tu as commencé à quelle heure ?

Thomas : À 8 heures : français, une heure ; ensuite une heure de maths, une heure d'histoire, une heure d'anglais. Heureusement, j'adore la prof. Et cet après-midi, après la cantine, une heure d'espagnol, une heure de permanence, une heure de sciences nat. Et après ça, deux heures d'éducation physique. J'ai fini à 18 heures !

Christophe : Allez, courage, bientôt les vacances…

Thomas : Mais pendant les vacances, je dois réviser le brevet.

Christophe : Ah oui, c'est vrai que tu es en Troisième et que tu as un examen à la fin de l'année. Pour moi, ça va, pas d'examen cette année mais l'année prochaine, j'ai le bac de français !

Thomas : Hé ! chacun son tour !

LA RENTRÉE

Hélène : Comment vas-tu ? et tes enfants ?

Sylvie : Moi, ça va, mais je n'arrête pas avec la rentrée des classes…

Hélène : Ta fille rentre à la fac, non ?

Sylvie : Oui, pour Laura, ça va ; elle est admise en première année d'économie. Le problème, c'est pour inscrire Louis à l'école primaire. On vient de déménager, alors il est sur une liste d'attente pour le CP… Incroyable, non ?

Hélène : Je vais te dire, j'ai les mêmes problèmes avec Paul. On voudrait qu'il entre au collège Paul-Valéry, mais comme on n'habite pas dans le quartier, il doit faire du latin pour être admis en Quatrième.

Sylvie : Et il est content ?

Hélène : Oh, il ne sait pas. À la fin de l'année, on verra, mais maintenant, il doit aller dans ce collège et ce n'est pas facile.

Sylvie : Bon, alors bon courage à toi aussi.

Hélène : Oui, merci, on en a besoin toutes les deux !

L'enseignement primaire et l'enseignement secondaire

En France, l'enseignement est **obligatoire** de 6 à 16 ans.

Les cycles *(m)*	Les classes *(f)* et les examens *(m)*	Les élèves	Les enseignant(e)s
L'école *(f)* **maternelle** (2 à 5 ans)	L'école maternelle n'est pas obligatoire.	Les écoliers/ écolières	L'instituteur/ l'institutrice (*familier*: le maître/ la maîtresse)
L'école primaire (6 à 10 ans)	– le CP (= cours préparatoire = 1 an) – le CE1 et le CE2 (= cours élémentaire = 2 ans) – le CM1 et le CM2 (= cours moyen = 2 ans)	Les collégiens/ collégiennes	
Le collège (11 à 14 ans)	Sixième (11 ans), Cinquième, Quatrième, Troisième Examen : le **brevet** (à la fin de la 3e).	Les lycéens/ lycéennes	Les professeurs *(m)* (*abréviation familière :* le/la prof) En général, un professeur enseigne une seule matière.
Le lycée (15 à 18 ans)	Seconde (15 ans), Première, Terminale Examen : le **bac/baccalauréat** (à la fin de la Terminale, avec l'épreuve de français à la fin de la 1re)	Un bachelier/ une bachelière a réussi/a été reçu au bac.	

Le **directeur** (la **directrice**) est le chef de l'établissement. Dans un lycée, c'est le **proviseur**.
À la **récréation** (= la pause entre les cours), les élèves jouent dans la cour.
Dans les salles de **permanence** *(f)*, les collégiens peuvent faire/préparer leurs **devoirs** et **étudier** (= apprendre) leurs **leçons** *(f)* quand il n'y a pas de **cours** *(m)*. Des **surveillant(e)s** font respecter le silence. Les collégiens peuvent aussi lire et étudier à la **bibliothèque** ou centre de **documentation** *(f)*.
Les élèves peuvent déjeuner dans l'établissement scolaire à la **cantine** (= le restaurant scolaire).
Ils peuvent aussi prendre une boisson à la **cafétéria** entre deux cours.
Ils peuvent faire du **sport** dans le **stade** (dehors) ou dans le **gymnase**.
Certains collèges et lycées ont un **pensionnat** : les (élèves) **pensionnaires** restent toute la semaine dans l'établissement.

L'enseignement supérieur

Quand on réussit le bac, on est **bachelier** (bachelière) et on pourra faire des études supérieures.
On est **admis(e)** à l'université.

■ Dans les **universités** *(f)* (= *familier :* les **facs** [f]), les **étudiants** (étudiantes) peuvent passer une **licence** (en trois ans), un **master** (en quatre ou cinq ans = « bac + 4 [années] » ou « bac + 5 ») et un **doctorat** (« bac + 6 »).

■ Pour aller dans une **grande école**, on fait d'abord une **classe préparatoire** pour préparer le **concours** d'entrée. Chaque grande école a un système différent.

Quelques verbes

■ Pour l'élève/l'étudiant(e) : **apprendre**
prendre ou suivre des cours (de...), étudier, faire des études de...
Quand un élève n'a pas de bons résultats pour passer dans la classe supérieure, il doit **redoubler** (= recommencer la même classe).
Quand on **passe un examen**, on peut le **réussir** (+) ou le **rater** (–).

■ Pour le professeur : **enseigner**
donner des cours (de...) ou **enseigner**
▲ **Attention :** *Mon instituteur m'a **appris à lire**.* (= enseigner)

Emploi du temps d'un collégien en 4e : les heures et les matières

	Lundi	Mardi	Mercredi	Jeudi	Vendredi	Samedi
8 h	Maths	Anglais	Géographie	Français	Sciences naturelles	Latin
9 h	Français	Histoire/ Géographie	Maths	Français	Permanence	Français
10 h	Histoire	Espagnol	Maths	Arts plastiques (dessin, peinture)	Anglais	Maths
11 h	Éducation physique				Latin	Espagnol
12 h		Musique				
13 h	Latin	Maths		Anglais	Maths	
15 h	Français			Éducation physique	Espagnol	
16 h						

Remarques. 1. « Maths » (ou « math ») est l'abréviation de « mathématiques » *(f)*. **2.** Pour les sciences naturelles, on dit aussi les « sciences de la Vie et de la Terre (SVT) ».
Au collège, on apprend une, puis deux **langues étrangères**.

1 Relevez dans les dialogues les actions (verbes) et les noms en rapport avec l'enseignement.

2 Classez du plus jeune au plus vieux.

___ **a.** un écolier ___ **b.** un étudiant ___ **c.** une lycéenne

___ **d.** un élève d'une grande école ___ **e.** un collégien *1* **f.** un élève de maternelle

3 Trouvez le masculin ou le féminin des noms suivants.

Masculin	**Féminin**
1. ________________	la directrice
2. ________________	Mme le proviseur
3. un professeur	________________
4. un écolier	________________
5. un élève	________________
6. ________________	une surveillante
7. un collégien	________________
8. ________________	une lycéenne
9. un instituteur	________________
10. ________________	une étudiante

4 Associez les lieux de la liste aux activités.

le pensionnat – la bibliothèque – la cantine – le stade – la salle de permanence – la cafétéria

1. Les élèves y prennent le déjeuner pour un prix raisonnable : ____________________
2. On y fait du sport : ____________________
3. Les pensionnaires y dorment : ____________________
4. On y travaille entre deux cours : ____________________
5. On peut y prendre une boisson ou un biscuit au moment de la pause : ____________________
6. Les étudiants et les lycéens peuvent y trouver des informations, lire : ____________________

5 En France, quelles matières sont enseignées en Quatrième au collège ?

1. ☐ la physique
2. ☐ la psychologie
3. ☒ ***les mathématiques***
4. ☐ le français
5. ☐ les arts plastiques
6. ☐ la philosophie
7. ☐ l'éducation physique
8. ☐ l'histoire
9. ☐ la géographie
10. ☐ les sciences naturelles
11. ☐ la chimie
12. ☐ le latin
13. ☐ la musique
14. ☐ l'anglais

6 Retrouvez le mot complet.

1. les maths : ____________________
2. la philo : ____________________
3. la psycho : ____________________
4. l'éco : ____________________
5. les sciences nat : ____________________
6. un prof : ____________________
7. la géo : ____________________
8. les sciences po : ____________________
9. la perm : ____________________
10. un exam : ____________________
11. le bac : ____________________
12. la fac : ____________________

7 Associez par une flèche les expressions de sens voisin.

1. ***J'ai raté le brevet.*** → j.
2. Elle doit redoubler sa Première.
3. Il a réussi le concours d'entrée.
4. Il étudie la psycho.
5. Je suis admis en 1re année de psycho.
6. Il enseigne les maths.
7. C'est une bonne prof.
8. Je suis refusé en fac de psychologie.
9. J'ai le bac.

a. Il est admis.
b. Je ne peux pas entrer en psycho.
c. Elle enseigne bien.
d. Je suis bachelière.
e. Il donne des cours de maths.
f. Elle doit recommencer sa Première.
g. Il suit des cours de psychologie.
h. J'entre en 1re année de psycho.
j. ***Je n'ai pas réussi mon brevet.***

8 Activité. Vous parlez avec votre correspondant(e) français(e) de l'enseignement secondaire dans votre pays. Il (elle) vous pose des questions sur l'âge des élèves, les matières enseignées, la durée des études et les examens.

UN GRAND SPORTIF !

Stéphane : Qu'est-ce que tu fais ce soir ?

Agnès : Je vais à mon cours de taï chi : je suis inscrite dans un club.

Stéphane : Et tu aimes bien ?

Agnès : Oui, ça me détend : c'est une activité physique très lente et ça me fait du bien. Et toi, tu ne fais pas de sport ?

Stéphane : Si, bien sûr ; le week-end, je fais du VTT et je joue au tennis. Et deux soirs par semaine, je vais dans une salle de gymnastique. De temps en temps, je fais aussi de la natation…

Agnès : Dis donc, tu es drôlement sportif ! Mais l'an dernier, tu jouais dans une équipe de foot, non ?

Stéphane : Oui, mais j'ai arrêté. Après, j'ai commencé le volley mais je n'aimais pas beaucoup. Maintenant, je prends des cours de tennis.

Agnès : Et ça te plaît ?

Stéphane : Eh ! bien, je pense que le tennis ce n'est pas fait pour moi. Et le VTT non plus : j'ai un peu mal au dos. Je crois que le yoga, c'est très bien. Tu as déjà essayé ?

Agnès : Non. Mais ça va te calmer, essaie. Et si tu n'aimes pas, tu peux venir avec moi au cours de taï chi…

INSCRIPTION AU CLUB DE FOOTBALL

La mère : Bonjour madame, je voudrais inscrire mon fils au club de foot. Quand ont lieu les cours ?

L'employée : Ça dépend de son âge et de son niveau.

La mère : Marc a 8 ans, il joue un peu dans la cour de l'école.

L'employée : Alors… le cours pour débutants est le mercredi et le samedi après-midi, de 14 heures à 16 heures. Le mercredi, c'est au stade et le samedi, c'est ici, au gymnase.

La mère : Bon… et il n'est pas trop jeune ?

L'employée : Non, nous prenons les enfants de 6 à 10 ans.

La mère : C'est combien pour une année ?

L'employée : C'est 180 euros avec l'assurance. Le club est fermé pendant les vacances.

La mère : Ça commence quand ?

L'employée : Le mercredi 15 septembre.

La mère : Et quel équipement doit-il avoir ?

L'employée : Un short, des chaussures de sport et un maillot bleu.

La mère : Comme l'équipe de France ?

L'employée : Oui, nos jeunes élèves sont très fiers !

Les sports collectifs

Le foot(ball), le volley(-ball), le hand(-ball) sont des jeux de **ballon**. On y **joue** en **équipe** *(f)*.
On peut les **pratiquer** en salle (= dans un gymnase) ou en extérieur, sur un **stade** ou sur un **terrain de sport**. Il y a un filet ou des paniers (pour le basket).
Il y a des buts sur les **terrains** de football et de handball.

Attention !
- Pratiquer un sport
- Faire du football/du basket/du handball = Jouer au football/au basket/au handball (ce sont des jeux).

Les sports individuels

On fait de la **gymnastique**.
On fait du **vélo**/du **VTT** (= vélo tout terrain).
On joue au **tennis** sur un **court**.
On joue au **golf** sur un terrain de golf.
On fait de la **marche** ou de la **randonnée** sur un chemin (un sentier) à la campagne ou en montagne.
On fait de la **course**/on court.
On skie/on fait du **ski** sur une piste en montagne.
On nage/on fait de la **natation** dans une **piscine** ou à la mer.
On navigue/on fait de la **voile** sur un lac ou sur la mer.

Attention !
Faire du tennis, du golf, de la natation, de la voile, de la marche, du ski...
MAIS **jouer** au tennis, au golf. (Ce sont des jeux.)

Les personnes

Un **sportif**/une **sportive pratique** (= fait) un **sport.**
Un **joueur**/une **joueuse** de volley/de tennis
Un **champion**, une **championne** (= qui gagne)
Un **arbitre** (qui compte les points et surveille)

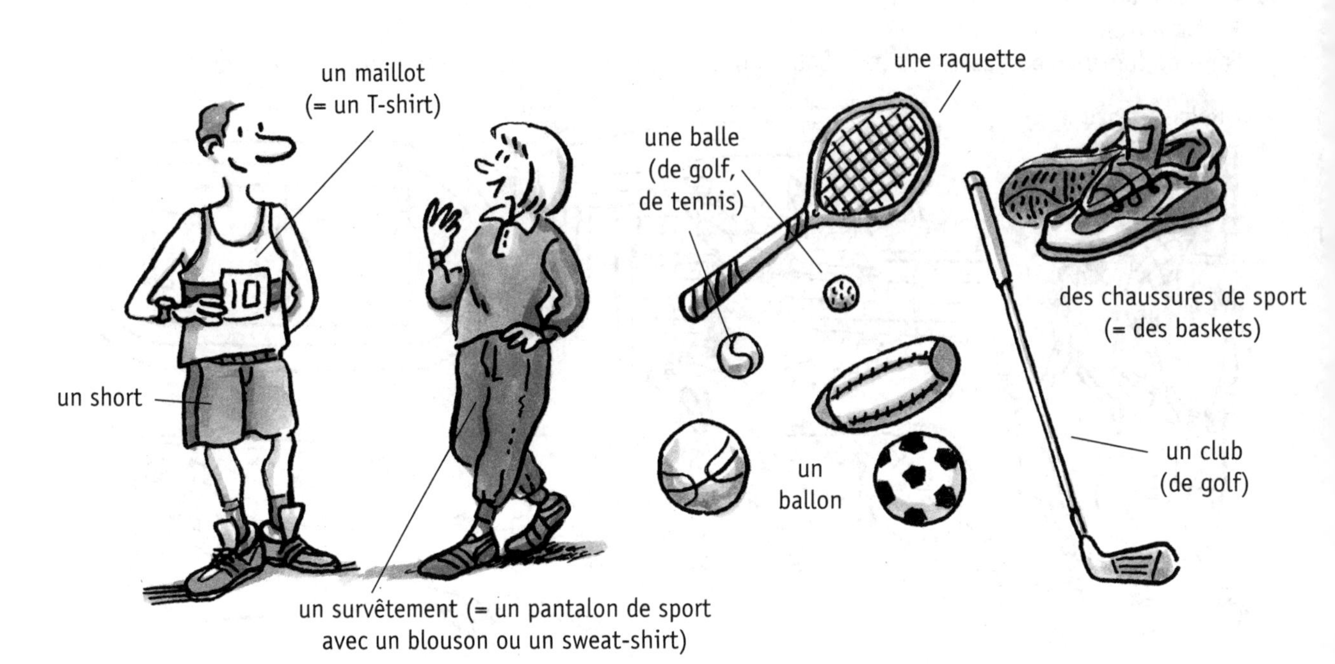

Les vêtements et les accessoires

Les lieux

un court de tennis, avec un filet
un terrain de foot, avec des buts

Les actions

s'entraîner, faire de la **compétition**
disputer (= faire) un match
remporter la victoire = **gagner** ≠ **perdre** un match
suivre (= regarder) un match

1 **Relevez dans les dialogues les éléments demandés.**

a. Dans le dialogue 1, tous les sports pratiqués par Stéphane:

1. Il fait du ______________________________

2. Il joue au ______________________________

3. Il fait de la ______________________________

b. Dans le dialogue 2, l'équipement sportif pour jouer au football:

Il faut ______________________________

2 **Dans chaque série, barrez l'élément qui ne va pas avec les autres, et mettez un article devant chaque nom.**

☞ *Exemple:* ***le*** *football –* ***la*** ~~*natation*~~ *–* ***le*** *volley-ball –* ***le*** *handball –* ***le*** *tennis –* ***le*** *golf*

1. ___ gymnastique – ___ ski – ___ judo – ___ voile – ___ vélo – ___ basket-ball – ___ marche

2. ___ maillot – ___ short – ___ survêtement – ___ filet – ___ baskets – ___ T-shirt

3. ___ panier – ___ raquette – ___ filet – ___ but – ___ ballon – ___ balle – ___ short – ___ club

4. ___ gymnase – ___ VTT – ___ piscine – ___ stade – ___ court – ___ terrain de golf – ___ piste

3 Associez les expressions de sens voisin.

1. ***remporter un match*** → f
2. disputer un match
3. perdre un match
4. arbitrer
5. s'entraîner
6. faire du cyclisme
7. faire de la randonnée
8. courir
9. naviguer
10. marquer un but
11. suivre un match

a. faire du vélo
b. faire de la voile
c. faire un match
d. faire de la course ou du jogging
e. faire de la marche
f. ***être les champions***
g. gagner un point au football
h. ne pas remporter un match
i. pratiquer un sport régulièrement
j. regarder un match
k. compter les point d'un match

4 À quoi il (elle) joue ? Quel sport il (elle) pratique ?

☞ *Exemple : Une basketteuse* ► ***Elle joue au basket./Elle fait du basket.***

1. Un footballeur → ______
2. Une nageuse → ______
3. Un marcheur → ______
4. Une golfeuse → ______
5. Un judoka → ______
6. Un cycliste → ______
7. Une joueuse de tennis → ______
8. Un randonneur → ______
9. Une skieuse → ______

5 Numérotez ces activités pour les remettre dans l'ordre.

___ **a.** On s'entraîne souvent au stade.
___ **b.** On gagne le match.
___ **c.** Les spectateurs suivent le match.
___ **d.** On s'inscrit à un match important.
1 **e.** On joue au foot entre copains dans la rue.
___ **f.** On dispute le match.
___ **g.** On est les champions.

6 Activité. Vous pratiquez un sport. Votre ami(e) a envie de venir avec vous. Il (elle) vous pose des questions sur le sport, le lieu de pratique, l'équipement. Vous lui répondez.

LA MÉTÉO

UN PEU FRAIS...

La radio : Et voici les prévisions météo pour aujourd'hui : le temps sera couvert sur l'ensemble du pays. Le ciel restera nuageux et les pluies seront fréquentes dans le Nord et en région parisienne. En Bretagne, le vent soufflera fort mais le soleil se montrera en fin d'après-midi. En montagne, il y aura du brouillard à partir de 1 000 mètres. Les températures, basses pour la saison, ne dépasseront pas 13 degrés dans le Nord et 17 degrés sur la Côte d'Azur.

La mère : Émilie, tu ne peux pas aller au collège comme ça ! Il pleut, et il fait frais. Va mettre des baskets, prends un pull et n'oublie pas ton blouson.

Émilie : Mais maman, j'ai chaud et puis il va y avoir du soleil. Regarde, il y a un peu de ciel bleu.

La mère : Bon, fais comme tu veux... mais si tu es malade...

Émilie : Bisou, au revoir maman !

(Au collège.)

Émilie : Mais on gèle aujourd'hui. J'ai froid et j'ai les pieds mouillés !

La copine : Normal, tu es en sandales et tu n'as pas de pull. Regarde, tu es habillée comme en été... Ta mère ne t'a rien dit ce matin ? !

Émilie : Euh... elle est partie très tôt.

ENFIN L'ÉTÉ !

(À la boulangerie.)

La vacancière : Oh, quel beau temps aujourd'hui. Il fait même chaud. Enfin l'été !

La boulangère : Ça, on peut dire que vous avez de la chance, parce que la semaine dernière, on a eu de la pluie tous les jours. J'espère que ce beau soleil va continuer toute la journée.

La vacancière : Mais oui, soyez optimiste. Nous, on va passer la journée à la plage. Donnez-moi deux baguettes, s'il vous plaît..

La boulangère : Voilà, et bonne journée !

(La vacancière sort.)

Un client : Avec ce vent, les nuages vont bientôt arriver.

La boulangère : Allons, ne soyez pas pessimiste : aujourd'hui, les vacanciers vont enfin pouvoir aller à la plage.

Le client : Oh, mais j'ai lu la météo dans le journal et ils ne se trompent pas ! Allez, un pain, s'il vous plaît.

Le beau temps : il fait (très) beau

Il y a du ***soleil****.*
Le soleil ***brille****.*
C'est une journée ***ensoleillée****.*

Le ***ciel*** *est bleu/****dégagé****/clair.*
C'est une belle journée.

Il y a une ***éclaircie*** *(= un* ***rayon de soleil****)*

Il y a un ***arc-en-ciel****.*

Le mauvais temps : il fait (très) mauvais

Il ***pleut****.* **(pleuvoir)**
Il y a une grosse/forte ***pluie****.*
Le temps est ***pluvieux****.*

Il y a une ***averse***
(= une pluie soudaine et courte).

*Le ciel est gris/****nuageux****/****couvert****.*
Il y a des ***nuages*** *(m).*

Il y a du ***vent****.*
Le vent se lève.
Le vent ***souffle*** *fort.*

*Il y a de l'**orage** (m).*
*Le temps est **orageux**.*
*Un orage **éclate**.*

*Il y a une **tempête***
(= un vent très fort et de la pluie).

*Il y a du **brouillard*** (= on ne voit rien).

*Il **neige**.* (**neiger**)
*Il y a de la **neige**,*
*des **flocons** (m) de neige.*

Les températures

■ Elles sont **élevées**, elles **atteignent** ou **dépassent** 30 **degrés** (Celsius):
*Il fait **lourd:** il fait très chaud et il n'y a pas de vent.*
*Il fait (très) **chaud:** il fait entre 25 et 30 degrés (à l'**ombre**).*

■ Les températures sont agréables:
*Il fait **bon,** il fait **doux:** il fait 20 degrés.*

■ Elles sont **basses**, elle **baissent**, elle ne dépassent pas 12 degrés:
*Il fait **frais:** il fait 15 degrés.*
*Il fait (très) **froid:** il fait entre 3 et 10 (degrés).*
Il gèle:** il fait **moins 3 (au-dessous de zéro degré, les températures sont négatives).

à l'ombre *(f)*

Pour aller plus loin

Il fait un temps de chien. (= il fait très mauvais)
Il tombe des cordes. (= il pleut très fort)
Il fait un froid de canard. (= il fait très froid)
Il fait un soleil de plomb. (= le temps est ensoleillé et très chaud)

1 Relevez dans les dialogues toutes les expressions sur la météo, le temps et les températures:

1. Le temps: *couvert* – ____________________

2. Les températures: *basses* – ____________________

2 Dans chaque série, barrez ce qui ne convient pas:

☞ *Exemple: un nuage – un orage – la tempête – ~~le soleil~~ – le vent – la neige – la pluie*

1. doux – chaud – frais – nuageux – froid – bon – lourd

2. une averse – la pluie – une tempête – le brouillard – un orage

3. couvert – nuageux – pluvieux – dégagé – clair – geler

4. beau – doux – ensoleillé – orageux – bon – clair

5. pluvieux – dégagé – nuageux – orageux – gris – couvert

3 Associez les expressions de sens proche.

1. ***Il fait bon.*** → h
2. Le ciel est clair.
3. Le ciel est couvert.
4. Il pleut beaucoup et le vent est fort.
5. Il fait moins cinq.
6. Il y a une éclaircie.
7. Il tombe une averse.
8. Il y a du brouillard.

a. Il y a des nuages.
b. Il gèle.
c. Le soleil revient.
d. Il y a de la tempête.
e. Le ciel est blanc, on ne voit rien.
f. Le ciel est dégagé.
g. Tout à coup, il pleut.
h. ***Il fait doux.***

4 Complétez ces phrases avec les expressions suivantes.

neige – orage – averses – arc-en-ciel – éclaircie – nuages – tempête – brouillard

☞ *Exemple : Il y a beaucoup de* ***nuages****, il va bientôt pleuvoir.*

1. Quand il y a du ________________, les routes sont dangereuses.
2. Regarde, le soleil revient, on va peut-être voir un ________________ .
3. Le vent est tombé, la pluie s'est arrêtée ; la ________________ est finie.
4. Le temps est très lourd, il va peut-être y avoir un ________________ ce soir.
5. Prends un parapluie, on annonce des ________________ dans l'après-midi.
6. Regarde, des flocons, je crois qu'on va avoir beaucoup de ________________ cet hiver.
7. Voilà une ________________ ; il ne pleut plus et le soleil revient.

5 Choisissez le verbe qui convient :

baisser – atteindre – dépasser – brille – pleuvoir – éclate – gèle – souffle – couvre

☞ *Exemple : Le ciel se* ***couvre****, des gros nuages arrivent.*

1. Il va faire plus froid : les températures vont ________________ dans la nuit.
2. Ce matin, il ________________ : il fait moins 5.
3. Le vent ________________ très fort, on va peut-être avoir une tempête.
4. Dans le Sud, les températures vont ________________ 30 degrés.
5. Prends un parapluie, il va ________________ .
6. Le soleil ________________, il fait un temps magnifique !
7. Voilà, l'orage ________________, rentrons vite dans la maison !
8. Demain, il va faire très chaud : les températures vont ________________ 25 degrés.

6 Activités.

– Deux par deux, commentez la météo de la journée : parlez du temps, des températures. Vous n'êtes pas d'accord. Dialoguez.
– Pour vous, quel est le temps idéal ? Expliquez vos raisons à votre voisin(e) qui vous donnera à son tour une journée idéale pour la météo.

À LA CAMPAGNE

(Un jeudi à midi, dans un café.)

Céline : Qu'est-ce que tu fais ce week-end ?

Julie : Je me repose : je reste à la maison, je ne sors pas. Je vais faire la grasse matinée… lire des magazines, regarder des DVD. Et toi, qu'est-ce que tu fais ?

Céline : Moi, je suis invitée chez des amis à la campagne. Je suis super contente de partir : on va se promener, jouer au tennis, faire le marché au village et préparer le repas tous ensemble… Le soir, on aime bien jouer aux cartes. Le week-end chez eux, j'adore. Il y a toujours plein d'amis et on s'amuse bien.

Julie : Ils habitent loin ?

Céline : Non, à une heure de train. Tu sais que ce week-end, il va faire beau ?

Julie : Oui, j'ai regardé la météo à la télé…. Je les connais, tes amis ?

Céline : Bien sûr, c'est Nathalie et Christophe. Pourquoi tu me demandes ça ?

Julie : Eh bien ! finalement, j'aimerais bien venir avec toi… Tu crois que c'est possible ?

Céline : Mais tu dis que tu veux te reposer… Attention, chez eux, il n'y a pas la télé et tu ne pourras pas faire la grasse matinée ; mais c'est sûr, on passera un bon week-end !

QU'EST-CE QU'ON FAIT DIMANCHE ?

(Le vendredi soir, à la maison.)

Elle : Dimanche, on va chez mes parents à la campagne ?

Lui : Oh, non, pas ce week-end. J'ai très envie de visiter le nouveau musée.

Elle : Et les enfants ? Tu sais bien qu'ils s'ennuient dans les musées.

Lui : Mais il y a une exposition très bien pour eux sur les couleurs. Et puis, après, on peut aller au jardin ; ils pourront s'amuser dehors et prendre l'air.

Elle : Oui, et s'il pleut ?

Lui : Je pense à tout : le cirque propose un nouveau spectacle. Les enfants vont adorer, et moi aussi !

Elle : Moi, je n'aime pas beaucoup mais si tu t'occupes des enfants, je vais aller au cinéma avec Virginie.

Lui : D'accord, mais je crois bien qu'il va faire beau !

se promener à la campagne

aller au cirque

- passer le **week-end** à la campagne, en ville, à la maison
passer un bon ≠ mauvais week-end

- **Activités à la campagne**

faire une **promenade**, **se promener** dans la campagne
faire du sport : courir, marcher, jouer au tennis, au badminton
jardiner, faire du **jardinage**, s'occuper du jardin
bricoler, faire du **bricolage** (= arranger la maison)
prendre l'air, être dehors (= profiter de l'air pur)
être dans les embouteillages (= quand il y a beaucoup de voitures sur les routes)

- **Activités en ville**

visiter un **musée**, voir une exposition (de **peinture** *(f)*, de **sculpture** *(f)*, de **photographie** *(f)*...)
faire des courses (dans les magasins), aller au marché
visiter un quartier, un **monument** (un château, une **église**), un jardin
aller au **cinéma** (voir un **film**), au **théâtre** (voir une **pièce**), à l'**opéra** *(m)*, au **cirque**
faire la queue (= attendre son tour quand il y a beaucoup de monde)
déjeuner, dîner au restaurant

Activités à la maison

faire **la grasse matinée**
(= dormir tard le matin)
aller chez des amis, chez la famille/
rendre visite à des amis, à la famille
inviter/recevoir des amis (chez soi)
faire la cuisine
rester à la maison
se reposer
faire **la sieste** (= dormir dans la journée)
lire, regarder des magazines, écouter
de la musique
regarder un film à la télévision, un DVD
jouer aux cartes *(f)*, faire une partie de cartes
faire du bricolage, bricoler

Partout

s'occuper des enfants
prendre son temps (faire les choses lentement)
s'amuser ≠ **s'ennuyer** (= ne pas prendre
de plaisir à ne rien faire)

1 **Retrouvez dans les deux dialogues les activités de week-end et classez-les.**

1. En ville	2. À la campagne	3. À la maison

2 **Dans chaque série, soulignez le mot qui ne va pas avec les autres.**

☞ *Exemple : lire – écouter de la musique – **courir** – regarder un film à la télévision*

1. bricoler – jardiner – se promener – jouer aux cartes – s'ennuyer – s'amuser
2. le cinéma – le théâtre – le restaurant – le cirque – la sieste – le musée – les expositions
3. faire... du sport – des courses – une promenade – la cuisine – du jardinage

3 **Associez les expressions de sens proche.**

1. ***regarder un film à la télévision*** → b.
2. se promener
3. recevoir des amis
4. rendre visite à des amis
5. bricoler
6. prendre son temps
7. visiter une expo
8. jouer aux cartes
9. jardiner
10. faire la grasse matinée

a. faire du jardinage
b. ***voir un film***
c. voir une exposition
d. dormir tard le matin
e. faire du bricolage
f. aller chez des amis
g. faire les choses lentement
h. faire une promenade
i. faire une partie de cartes
j. inviter des amis chez soi

4 Complétez les phrases suivantes avec un mot ou une expression de la liste :
sortir – cartes – sieste – occupe – théâtre – campagne – regarder – bricoler – ennuie – pièce – courses – cinéma – amuse – promener

☞ *Exemple : Ce week-end, s'il fait beau, on va à la **campagne** chez des amis.*

1. Le dimanche, je déteste aller au ____________, je préfère ____________ un DVD à la maison. J'aime aussi faire la ____________ l'après-midi.
2. Nous, le dimanche, on s'____________ des enfants, on ne les voit pas beaucoup dans la semaine !
3. Le samedi soir, j'aime bien ____________, je vais souvent au ____________ mais je trouve que c'est cher et difficile d'avoir des places pour une bonne ____________ .
4. J'adore le vendredi soir, on va chez des amis et on joue aux ____________ toute la soirée ; on s'____________ bien.
5. Je déteste le dimanche après-midi en ville ; il n'y a personne dans les rues et les magasins sont fermés ; c'est impossible de faire des ____________ .
6. Je n'aime pas aller à la campagne, je n'ai rien à faire et je m'____________ vite ; mon mari adore ____________ et il ne veut pas se ____________ avec moi !

5 Soulignez le mot ou l'expression qui convient.

☞ *Exemple : Mon frère passe son dimanche dans le garage ; il jardine – joue – bricole son vélo.*

1. Les enfants s'ennuient – s'amusent – s'occupent souvent pendant les repas de famille, ils n'ont rien à faire.
2. Le dimanche, je ne mets pas de montre ; j'aime bien prendre l'air – prendre mon temps – faire la sieste .
3. Tu viens au ciné, on va regarder – voir – faire le dernier film de Tavernier ?
4. Vendredi soir, on sort ; on reçoit – est invités – invite à la maison chez les Martin.
5. Le samedi soir, je reste chez moi : il y a la queue – des embouteillages – des films devant les salles de cinéma.

6 Activité.

TENNIS	MUSÉE DES ARTS PREMIERS	PROMENADE	VISITE GUIDÉE
Jardin du Luxembourg Prix du court : 10 €/heure Ouvert de 10 h à 18 h	Métro : Quai Branly Horaires : 10h-18h Prix : 12 €	au bois de Boulogne Location de vélo (Métro : Les Sablons) 15 € la demi-journée 9h-13h ou 14h–18h	Quartier du Marais Rendez-vous : 1 place des Vosges Durée : 2 heures 30 Prix : 15 €

Téléphonez à un(e) ami(e) pour lui proposer une de ces activités pour dimanche après-midi. Donnez-lui des informations précises. Il (elle) accepte. Donnez-vous une heure et un lieu de rendez-vous.

Bilan n° 4

1 Complétez ces échanges avec les mots ou expressions suivantes.

enseigne – cours – étudier – licence – lycée – raté – primaire – institutrice – professeur – redoubles – université – maternelle – cantine – suivent – réussi

1. Tu as __________ ton bac ?
   – Non, je l'ai __________, et toi ?
   – Pour moi, ça va : je vais entrer à l' __________. Et toi alors, tu __________ ta Terminale ? Bon courage !
   – À toi aussi. Tu vas préparer une __________ de droit et ce n'est pas facile !
2. Tu as beaucoup d'heures de __________ aujourd'hui ?
   – Oui, 7 heures. J'ai seulement 45 minutes pour déjeuner. Tu manges à la __________ ?
   – Non, à midi, je rentre chez moi. Cet après-midi, je dois __________ ; j'ai un contrôle en histoire demain.
3. Thomas a 4 ans et il est à l'école __________. Son __________ est jeune et sympathique. Et ta fille ?
   – Elle est grande maintenant, elle a déjà 8 ans ; elle est à l'école __________ et Sébastien, lui, il vient d'entrer en Seconde au __________.
4. François a un excellent __________ de sciences. Il __________ de façon vivante et ses élèves __________ les cours avec plaisir.

2 Complétez ces phrases avec les expressions suivantes.

raquette – short – perdu – champion – arbitre – équipe – terrain – gymnastique – filet – piscine – randonnée – ballon – maillot – vélo

1. Le Tour de France est une grande course de __________. Le __________ porte un maillot jaune.
2. On a __________ le match parce que l' __________ n'était pas bon.
3. Au collège, il y a un beau __________ de volley avec un nouveau __________, alors on joue souvent après les cours quand le prof nous donne un __________ !
4. On appelle les joueurs de l' __________ de France de football « les Bleus » parce qu'ils portent un __________ bleu.
5. Le dimanche matin, je vais à la __________ ; je prends des cours de natation. Mon mari préfère jouer au tennis. Je vais lui offrir une __________ neuve pour son anniversaire.
6. Dimanche, tu viens avec moi faire une __________ ? Je connais une jolie promenade et ce n'est pas trop loin.
7. Pour faire de la __________, je mets un maillot, un __________ et des baskets.

③ Proposez deux activités sportives qu'on peut pratiquer...

☞ *Exemple : à la montagne, en hiver, quand on est seul ou plusieurs*
► ***On peut skier/faire du ski, faire des randonnées, marcher sur des sentiers.***

1. à la mer, quand il fait beau → on peut faire du surfing, bronzer
2. sur un terrain de sport, quand on est plusieurs → on peut jouer du foot
3. à la maison, quand on est seul → on peut regarder la tv
4. à la campagne, par une belle journée, quand on est seul ou plusieurs → on peut courir / on peut

④ Comment pouvez-vous dire autrement :

1. Le ciel est couvert. (covered) → il est beaucoup des nuages
2. Le vent souffle fort et il pleut. → c'est en hiver en Angleterre.
3. Il y a un rayon de soleil. → Il y a un eclaire
4. Le ciel est dégagé. (clear) → ____________
5. C'est une journée ensoleillée. → ____________
6. Il fait lourd. (heavy) → ____________
7. Il neige. → ____________
8. Il gèle. → ____________

⑤ Complétez ces phrases avec les expressions suivantes.

dégagé – éclater – pleuvoir – atteindre – baisser – se lève – couvert –arc-en-ciel – neiger

1. Le vent ____________, il y a des nuages et la pluie n'est pas loin ; un orage va ____________ avant ce soir !
2. Il va faire très chaud cet après-midi, les températures peuvent ____________ 28 à 30 degrés.
3. Le ciel est ____________, il y a de plus en plus de nuages.
4. Dans la nuit, les températures vont ____________ jusqu'à 0°. Il va ____________ en montagne.
5. Il vient de ____________, mais maintenant, le ciel est ____________ Regarde, voici un ____________. Comme il est beau !

⑥ Proposez deux activités que vous pouvez faire...

1. l'après-midi, en ville, avec des enfants → ____________
2. le soir, en ville, entre adultes → ____________
3. un dimanche après-midi, en famille, à la maison → ____________
4. un dimanche de beau temps, à la campagne, avec des adultes et des enfants → ____________

PÂQUES EN FAMILLE

Camille: Qu'est-ce que vous faites pour Pâques ?

Claire: On va chez mes parents. Ils veulent voir les enfants, on ne va pas souvent à Marseille. La dernière fois, c'était pour le week-end de la Toussaint.

Camille: Ah bon, vous n'avez pas passé Noël avec eux ?

Claire: Non, on est allés chez les parents de Sébastien. Il faut bien se partager et comme ils sont très âgés…

Camille: Et vous avez aussi passé le réveillon du nouvel an avec eux ?

Claire: Non, seulement Noël. Pour la nuit de la Saint-Sylvestre, on a retrouvé nos amis Géraldine et Didier avec leurs enfants, dans les Alpes : on a loué un appartement pour une semaine. On s'est bien amusés. Il y avait aussi le frère de Géraldine avec sa copine et un autre couple d'amis. Les hommes ont préparé une fondue et après le dîner, on a bu du champagne et on a dansé toute la nuit. Évidemment le lendemain, on n'est pas allés skier, mais on a passé un super réveillon.

Camille: Et alors, vous passez Pâques en famille ?

Claire: Hé oui, les bonnes vieilles traditions : le grand repas familial, les oeufs en chocolat pour les enfants…

Camille: Je vois ! Et pour Noël, c'était la messe de minuit, la dinde aux marrons, la bûche au chocolat, le sapin et ton mari habillé en père Noël, c'est ça ?

Claire: Tu exagères : tu imagines Sébastien en père Noël ?

Camille: Allez, je plaisante, ne te fâche pas. Alors passez de bonnes fêtes de Pâques et ne mangez pas trop de chocolat !

LES 60 ANS DE MAMAN

Louise: Allô, Jean, c'est Louise. Ça va ?

Jean: Oh bonjour. Bien et toi ?

Louise: Tu sais que c'est l'anniversaire de Maman le mois prochain ; 60 ans, il faut faire une jolie fête. Tu as une idée ?

Jean: Heu, non… On pourrait aller déjeuner chez elle tous ensemble avec les enfants !

Louise: Ah non, elle ne va pas faire la cuisine ce jour-là ! Écoute, j'ai réfléchi et je crois que j'ai une bonne idée : on va réserver dans un restaurant au bord de la Marne. Tu sais, on y allait quand on était petits. Les enfants peuvent jouer dans le jardin et après le déjeuner, on fait une promenade, c'est très agréable et je suis sûre que ça va lui faire plaisir. Qu'est-ce que tu en penses ?

Jean: Oui, c'est une excellente idée. Mais on pourrait aussi lui offrir un cadeau, non ? Je crois qu'elle aimerait beaucoup avoir un chien. Elle adore les animaux !

Louise: Tu crois vraiment ? Un chien, il faut le sortir matin et soir… Moi, je pense qu'elle aimerait bien avoir un nouvel appareil photo.

Jean: Je ne sais pas ; je vais appeler Papa, il a toujours de bonnes idées pour faire un cadeau à Maman.

Louise: D'accord. Appelle-moi bientôt.

Jean: Oui, à bientôt, Louise.

Faire la fête

Faire la **fête** pour un **anniversaire**, Noël (le 25 décembre), la Saint-Sylvestre (la nuit du 31 décembre).
Pour faire une fête, on peut :
- **inviter** des amis, la famille à la maison ou au restaurant
- faire un bon repas, boire du vin, **s'amuser** (= rire, danser, parler)

Les fêtes familiales

Pour un mariage, une **naissance**, on envoie un faire-part pour informer les gens.
On fête aussi un anniversaire (ou un anniversaire de mariage) avec la famille et les amis.
Quand on est invité pour une fête, on peut faire/apporter/donner/**offrir** un cadeau.
Pour un anniversaire, il y a un gâteau, avec des bougies *(f)*. La personne doit souffler les bougies.
On dit « **Bon anniversaire** » ou « **Joyeux anniversaire** ».

Quelques fêtes en France

- Le **nouvel an** : le 31 décembre, c'est la nuit de la **Saint-Sylvestre**. On **réveillonne** : on fait souvent la fête avec les amis très tard dans la nuit ; on mange, on boit, on s'amuse, on danse. Le 1er janvier, on rend visite à la famille, aux amis et on s'embrasse ; on se souhaite « **Bonne année** ».
- Le 14 février, c'est **la Saint-Valentin**, la fête des amoureux : on s'offre des cadeaux.
- À **Pâques** (un dimanche et un lundi de printemps), on se réunit souvent en famille et les enfants reçoivent des œufs en chocolat. On dit « **Joyeuses Pâques** ».
- Le 1er mai, c'est **la fête du Travail** et c'est un jour **férié**.
On offre du **muguet** *(m)* comme **porte-bonheur** *(m)* (= pour avoir de la chance).
- Le 21 juin, c'est **la fête de la Musique** : on joue de la musique dans les lieux publics et dans la rue. Ce n'est pas un jour férié (on travaille).
- Le 14 juillet, c'est **la fête nationale** ; dans les villes, il y a un feu d'artifice et un bal le soir : on danse dans la rue.
- Le jour de **la Toussaint** (le 1er novembre), la famille va traditionnellement au **cimetière** (où il y a les **tombes** *(f)* des morts de la famille). C'est une fête triste et il pleut souvent.

– Pour **Noël**, on organise un **réveillon** le 24 décembre, on fait un bon repas avec, traditionnellement, une dinde aux marrons et, en dessert, une bûche (= un gâteau spécial). Dans la maison, on décore un sapin avec des boules *(f)* et des guirlandes *(f)*. Certaines familles vont à l'église pour la messe de minuit. Les enfants attendent le père Noël et on s'offre des cadeaux. Le 25 décembre, on rend visite à la famille. On dit «**Joyeux Noël**».

Quelques autres fêtes

– Chaque prénom a un(e) **saint(e)** et le jour de sa fête, on dit «**Bonne fête**» à la personne qui porte ce prénom.
– Pour un examen, pour fêter un nouveau domicile, ou juste pour le plaisir de faire la fête ensemble...

1 **Relevez dans les dialogues, les éléments précisés.**

a. Dialogue 1 : que fait la famille de Claire pour... ?

1. Pâques : ____________________
2. la Toussaint : ____________________
3. Noël : ____________________
4. le 31 décembre : ____________________

b. Dialogue 2 : que proposent Jean et Louise pour fêter l'anniversaire de leur mère ?

	Lieu du déjeuner	Cadeau
1. Jean :	____________	____________
2. Louise :	____________	____________

2 **Soulignez dans chaque série le mot qui ne va pas avec les autres.**

☞ *Exemple : la dinde aux marrons – **le feu d'artifice** – la bûche de Noël – le gâteau d'anniversaire – le champagne*

1. la Saint-Valentin – Pâques – Noël – l'anniversaire – la Toussaint – le 14 juillet
2. le muguet – le sapin – le croissant – l'œuf en chocolat – la musique – le champagne
3. offrir un cadeau – donner un cadeau – apporter un cadeau – faire un cadeau – recevoir un cadeau
4. danser – boire – s'amuser – travailler – fêter – manger – se retrouver – faire la fête
5. un mariage – un anniversaire – un examen – une naissance – un anniversaire de mariage

3 **Associez les éléments qui vont ensemble.**

1. ***Le muguet*** → h
2. « Bon anniversaire. »
3. « Joyeux Noël. »
4. Le 14 juillet
5. Des œufs en chocolat
6. La Toussaint
7. Le 1er janvier
8. Le 31 décembre
9. La fête de la Musique

a. Un feu d'artifice et un bal
b. Le 21 juin
c. Un sapin et une bûche
d. Le réveillon de la Saint-Sylvestre
e. « Joyeuses Pâques »
f. Un gâteau avec des bougies
g. « Bonne année »
h. ***Le 1er mai : fête du Travail***
i. La visite au cimetière

4 **Complétez ces phrases par les expressions suivantes.**
fêter – s'amuser – naissance – faire-part – amoureux – feu d'artifice – souffler – offrir – mariage – réveillonner

☞ *Exemple : Les enfants aiment bien le 14 juillet parce qu'ils adorent regarder le* ***feu d'artifice****.*

1. Mes parents vont bientôt ________________ leur vingtième anniversaire de mariage. Je veux leur ________________ un beau cadeau.
2. Alice déteste la Saint-Valentin parce qu'elle n'a pas encore d' ________________ !
3. Le grand-père de Jean est mort la semaine dernière, j'ai reçu un ________________ de décès.
4. Nos amis viennent d'avoir une petite fille, ils vont faire une fête pour sa ________________ .
5. Arthur a eu 2 ans et il a eu un gros gâteau mais il n'a pas pu ________________ ses bougies.
6. Pour le 31 décembre, on va ____________ chez des amis, je crois qu'on va bien ____________ !
7. Le ________________ de Sophie et Antoine aura lieu cet été en Bretagne.

5 **Remettez ce dialogue dans l'ordre.**

___ a. – Oh, avec plaisir. Tu as prévu un cadeau ?

7 b. – Évidemment !

___ c. – Non, j'ai réservé dans un petit restaurant : on pourra danser après le dîner. Surtout, tu ne dis rien à Louis.

1 d. – Qu'est-ce que vous faites pour les 40 ans de Louis ? C'est bientôt, non ?

___ e. – Oui, le 16 mai. On va passer le week-end au bord de la mer avec les enfants et des amis. J'ai loué une grande maison près de la plage. Vous venez, bien sûr ?

___ f. – Et c'est toi qui va préparer le repas pour tout le monde ?

___ g. – Oui, on va lui acheter un lecteur de DVD, c'est une surprise.

6 **Activité. Vous parlez avec votre correspondant(e) français(e) d'une grande fête dans votre pays. Il (elle) vous pose des questions et vous répondez.**

L'ANNIVERSAIRE DE MON FRÈRE

Julie : Allô, Pauline, c'est Julie.

Pauline : Salut, tu vas bien ?

Julie : Oui, très bien ; Nicolas va avoir 25 ans le mois prochain. Il veut faire une fête le samedi 22. Tu peux venir ? Il sera très content de te voir.

Pauline : Le 22 ? Je ne suis pas sûre, parce que c'est l'anniversaire de ma grand-mère et mes parents nous invitent tous au restaurant. Dommage !

Julie : Hum, je vois, dîner au restau avec la famille. Mais ça va finir tôt, non ?

Pauline : Écoute, je vais m'arranger pour venir en fin de soirée. Ça va si j'arrive vers 11 heures ?

Julie : Oui, on viendra juste de commencer, et comme les parents nous laissent l'appartement pour le week-end, je pense que la fête va durer toute la nuit…

Pauline : Qu'est-ce que je peux apporter ?

Julie : Rien, on s'occupe de tout. Ah si ! Prends des CD, on va danser. Je suis hyper contente si tu viens.

Pauline : Vous avez choisi un cadeau pour Nicolas ?

Julie : Oui, il aimerait avoir un lecteur de DVD. Tu veux participer ?

Pauline : Bien sûr ! Je te rappelle plus tard ; là, je suis en retard.

Julie : Chao, ma belle !

LE MARIAGE DE BÉNÉDICTE

Bénédicte : Bonjour Alex, ça me fait vraiment plaisir de te voir.

Alex : Moi aussi, Bénédicte, mais que se passe-t-il ? Pourquoi ce déjeuner si urgent ? Tout va bien pour toi ?

Bénédicte : Oh oui ! je suis heureuse… J'ai une grande nouvelle à t'annoncer : je vais me remarier.

Alex : Incroyable ! Toi qui disais : « Me remarier ? Jamais ! »… Avec Stéphane ?

Bénédicte : Bien sûr, pas avec toi ! Stéphane et moi, on a décidé de se marier. On va faire un mariage tout simple, avec les parents, les enfants et quelques amis. Et j'espère bien que tu seras là !

Alex : Oh, oui, évidemment. Vous vous mariez quand ?

Bénédicte : Le 25 novembre, près de chez mes parents, à côté de Toulouse.

Alex : Oh, le 25, quel dommage ! Du 20 au 27 novembre, j'ai un voyage d'affaires au Brésil. C'est très important et je dois absolument partir là-bas…

Bénédicte : C'est terrible ! Tu es certain ? Tu ne peux pas rentrer plus tôt ?

Alex : Bon, je vais essayer ; j'aimerais vraiment assister à ton mariage.

Bénédicte : Alors j'espère que tu seras là ! Et maintenant, choisissons nos plats, le garçon arrive…

Prévoir une invitation

Inviter quelqu'un au restaurant, à la maison (pour l'apéritif (*m*), un déjeuner, un dîner), pour passer le week-end (à la campagne, à la montagne ou à la mer).
Proposer une activité : une **visite**, une **promenade**, une **sortie** (au **cinéma**, au **théâtre**, au **concert**).
Pour inviter, on peut téléphoner, envoyer un mail (= courriel) ou une lettre. Pour une **invitation formelle** (pour un mariage, un anniversaire, une naissance, l'ouverture d'un nouveau lieu, une exposition, une soirée, un cocktail), on peut envoyer un **carton d'invitation.**

Phrases possibles pour inviter

Est-ce que tu aimerais (vous aimeriez) venir (dîner) à la maison samedi soir ?
Ce week-end, voulez-vous venir à la campagne avec nous ?
Un déjeuner au restaurant, dimanche, tu es d'accord ?
Ça te dit (Ça vous dit) d'aller au cinéma ce soir ?
Ça vous dirait d'aller au restaurant demain midi ?
*Et si on allait **prendre un verre** ?*

> INVITATION
>
> **Véronique Bourget**
> vous invite au cocktail
> pour l'ouverure de sa boutique
>
> *Tendance*
>
> le 16 mai 2008 à partir de 19 heures
> 6 rue de Seine, 69000 Lyon
>
> R.S.V.P.

un carton d'invitation

Phrases possibles pour accepter

*Oui, **avec plaisir**. Oui, c'est très gentil.*
*Oui, **j'accepte** avec plaisir, qu'est-ce que je peux apporter ?*
*C'est une **bonne idée** !/C'est une **excellente idée** !*
D'accord, on se retrouve où et à quelle heure ?

■ Quand on est invité chez quelqu'un, on apporte généralement un petit cadeau : des fleurs *(f)*, des chocolats *(m)*... Et si on connaît bien la personne, on peut aussi apporter une bouteille de vin, un **dessert**...

■ Quand la personne qui invite reçoit le petit cadeau, elle doit **remercier** :
Merci beaucoup.
Je te/vous remercie.
C'est très gentil.
Il ne fallait pas.
Ça me fait très plaisir.

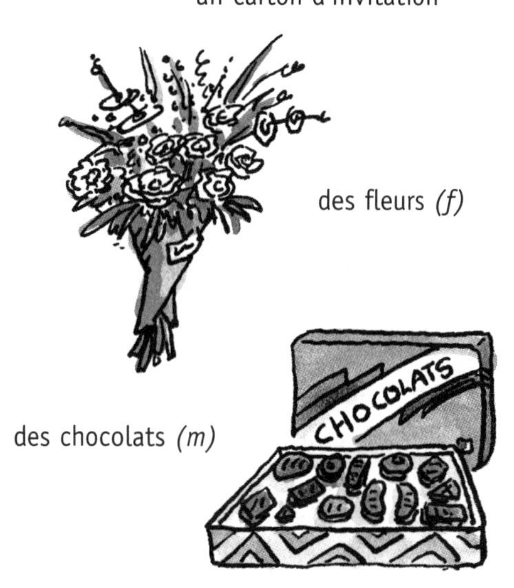

Phrases possibles pour refuser

Pour **refuser**, il faut remercier et expliquer pourquoi on ne peut pas venir.
*– Oh, merci beaucoup mais je suis **désolé(e)**, je ne suis pas libre samedi soir ; j'ai des places pour aller au théâtre.*

– Quelle bonne idée, un week-end à la campagne ; je te (vous) remercie. ***Malheureusement****, dimanche, je dois réviser un examen avec une amie. Une autre fois avec plaisir !*
– ***Quel dommage****, dimanche, je suis pris(e), je vais déjeuner avec ma mère. Dimanche prochain, si tu veux.*
– Ce soir, ce n'est pas possible, je suis vraiment fatigué(e). Mais on peut aller au cinéma demain soir, si tu es libre.
– Je ***regrette*** *vraiment mais ce soir, je ne suis pas libre, je dois rester tard au bureau.*
– J'aimerais beaucoup mais mon amie canadienne arrive cet après-midi, ou alors, est-ce qu'elle peut venir avec nous ?/est-ce que je peux l'amener ?

▲ Attention !

– Amener (une personne avec soi), accompagner (quelqu'un), apporter (quelque chose) :
Je peux ***amener*** *mon copain ? Mon copain peut* ***m'accompagner*** *?*
Est-ce que je peux ***apporter*** *du vin ou un dessert ?*
– Aller, venir :
Nous ***allons*** *au cinéma, est-ce que tu veux* ***venir*** *avec nous ?*
Est-ce que tu peux ***venir*** *dimanche midi à la maison ? – Non, je suis désolée, je* ***dois aller*** *chez mes parents.*

1 Relevez dans les deux dialogues les phrases pour...

1. inviter → ______________________________
____
2. accepter → ______________________________
____
3. refuser → ______________________________
____

2 Dans chaque série, barrez le mot qui ne va pas avec les autres.

☞ *Exemple : une sortie au cinéma – une soirée – ~~un déjeuner~~ – un concert – une promenade – une expo(sition)*

1. une soirée – un apéritif – un carton d'invitation – un dîner – un cocktail
2. envoyer : un carton d'invitation – un faire-part – un cadeau – un mail – une lettre – une invitation
3. inviter – accepter – s'excuser – amener – refuser – remercier – proposer

3 Mettez en relation les expressions de sens proche.

1. ***Ça te dirait de sortir ce soir ?*** → h
2. Je suis désolé(e), je ne suis pas libre.
3. Avec plaisir.
4. Et si on allait voir une exposition ?
5. Dommage, je vais voir mes parents dimanche.
6. J'aimerais bien aller au ciné, tu es d'accord ?
7. J'accepte avec grand plaisir.
8. Je peux amener ma sœur ?

a. Je regrette, je suis pris(e).
b. Ma sœur peut m'accompagner ?
c. Ça te dit d'aller au cinéma ?
d. Désolé(e), je suis pris(e) dimanche.
e. Je suis tout à fait d'accord.
f. On pourrait aller voir une expo, non ?
g. Quelle bonne idée !
h. ***J'ai envie de sortir ce soir, tu viens avec moi ?***

4 **Lisez ces phrases et indiquez si elles expriment une invitation (I), une acceptation (A) ou un refus (R).**

☞ *Exemple : J'ai très envie d'aller au concert, tu m'accompagnes ?* ☒ I ☐ A ☐ R

1. Je ne suis pas libre ce soir, mais dimanche, oui. ☐ I ☐ A ☐ R
2. Je regrette mais je suis un peu fatigué ce soir. ☐ I ☐ A ☐ R
3. Quelle bonne idée ! ☐ I ☐ A ☐ R
4. On vous attend pour prendre l'apéritif. ☐ I ☐ A ☐ R
5. C'est très gentil mais ce n'est pas possible aujourd'hui. ☐ I ☐ A ☐ R
6. On se retrouve où et à quelle heure ? ☐ I ☐ A ☐ R
7. Ça te dit d'aller au restaurant demain soir ? ☐ I ☐ A ☐ R
8. Je suis désolée mais je dois partir en province. ☐ I ☐ A ☐ R
9. Et si on allait faire une promenade ? ☐ I ☐ A ☐ R
10. J'accepte avec plaisir. ☐ I ☐ A ☐ R
11. Ce n'est pas possible, j'ai rendez-vous avec mon collègue. ☐ I ☐ A ☐ R
12. Désolé, mais on peut se voir demain soir si tu es libre. ☐ I ☐ A ☐ R

5 **Imaginez la question ou la réponse pour chaque mini-situation.**

☞ Exemple : – *J'aimerais bien dîner au bord de la Seine ce soir, tu es d'accord ?*
– *(refus et autre proposition)* ► ***Oh non, pas ce soir, je me lève très tôt demain matin. Mais vendredi soir, je t'emmène où tu veux !***

1. – (invitation) → ______________________________
   – Excellente idée, le ciné. Alors demain soir, on se retrouve où et à quelle heure ?
2. – Il y a un excellent concert de jazz demain soir près de chez moi. Ça vous dit ?
   – (acceptation) → ______________________________
3. Et si nous emmenions les enfants au cirque dimanche ?
   – (refus et autre proposition) → ______________________________
4. Je dois faire des courses samedi. Tu aimerais m'accompagner ?
   – (acceptation) → ______________________________

6 **Activités.**

– Vous recevez ce faire-part de mariage. Vous téléphonez à votre amie pour la remercier et pour accepter l'invitation. Vous travaillez deux par deux.

– Vous êtes invité(e) aux vingt ans de votre ancien(ne) petit(e) ami(e) et vous ne voulez pas y aller. Vous téléphonez pour remercier, refuser, donner une raison et souhaiter une bonne soirée.

Nous avons le plaisir de vous annoncer
le mariage de

Sophie et Antoine

le samedi 29 juillet.

Nous vous attendons pour le repas à 19 heures,
au Château de Guingamp,
12 rue de la Liberté
22000 Guingamp

CINÉ OU THÉÂTRE ?

(À l'arrêt d'autobus.)

Valérie : Amélie, qu'est-ce que tu fais ce soir ?

Amélie : Rien de spécial, mais j'ai envie d'aller au cinéma. Le dernier film de Brolland vient de sortir. La critique est bonne et il passe dans une salle près de chez moi. Ça te dit ?

Valérie : En fait, je voudrais voir une pièce au théâtre de Chaillot. Les acteurs sont excellents et j'adore le metteur en scène.

Amélie : Elle s'appelle comment, cette pièce ?

Valérie : *Les Idiots*.

Amélie : Ah oui, j'ai lu une critique dans un journal. Je crois que c'est une bonne pièce ; mais tu as des places ?

Valérie : Non.

Amélie : Alors tu n'as aucune chance ; il faut réserver quinze jours à l'avance.

Valérie : Bon, alors, on se fait une soirée ciné. À quelle heure passe le dernier Brolland ? C'est quoi, le titre, déjà ?

Amélie : *La Grande Question*. La séance est à 20 heures 05. Tu passes me prendre chez moi ?

Valérie : Non, on se retrouve au petit café à côté du cinéma, devant la piscine. 7 heures 30, ça va ? On pourra manger quelque chose avant.

Amélie : D'accord, à tout à l'heure. Mais ne sois pas en retard comme d'habitude ! Sinon, on dit 7 heures et quart pour le rendez-vous.

Valérie : Ça marche, 7 heures et quart. À plus ! Voilà mon bus !

CONCERT À LA CHAPELLE

Marc : Allô Jacqueline, bonsoir ! c'est Marc, Marc Reverchon.

Jacqueline : Oh ! bonsoir Marc, je suis contente de vous entendre.

Marc : Voilà, j'ai deux places pour un concert de Gabriel Fauré samedi en fin d'après-midi à la chapelle Saint-Louis. Voudriez-vous m'accompagner ?

Jacqueline : Oh, avec plaisir, il y a longtemps que je ne suis pas allée au concert.

Marc : Alors, je vous attends en bas de chez vous à 6 heures et nous prendrons un taxi. Si vous êtes libre après, je vous emmène dîner dans un nouveau restaurant espagnol très sympathique.

Jacqueline : Oh, Marc, vous êtes trop gentil. À samedi, donc.

Proposer une sortie dans la journée

- **visiter**/voir un musée, une **exposition** (*familier:* une **expo**) de **peintures** *(f)*, de **sculptures** *(f)*, de **photos/photographies** *(f)*. Quand il y a beaucoup de monde, il faut **faire la queue** (= attendre son tour pour entrer).
- visiter un **quartier**, un **monument** (une église, un château...), seul ou avec un(e) guide, un(e) **conférencier**/ière
- déjeuner au restaurant

Proposer une sortie en journée ou le soir

■ Prendre un thé, un café, prendre/boire un verre dans un café, un salon de thé, un bar

■ Dîner **au restaurant**: dans les grands restaurants, il faut réserver une table. On dit: *«Je voudrais réserver une table pour trois personnes, pour demain soir, vers 20 heures...* ***C'est au nom de*** *Mme Legendre.»*

■ Aller au cinéma, aller voir un film; *familier:* se faire un film, une soirée «ciné»
Si le film est très nouveau, on dit qu'il est **en exclusivité** *(f)*.
Quand c'est un très vieux film, on peut le voir dans une **cinémathèque**.
Pour acheter une place, on dit: *«Je voudrais une place pour* (+ le titre du film).*»*
Un film est fait par un **réalisateur**/une réalisatrice qui dirige les **acteurs**/les actrices.

■ **Aller au spectacle**: il faut souvent prendre/acheter/**réserver les places** à l'avance (sinon c'est complet).
On peut aller au **théâtre**, voir une **pièce**.
On peut aussi aller à l'**opéra** *(m)*, au **concert**, au **ballet**, pour **assister à** un opéra, à un concert, à un ballet...
Pour choisir un film, une pièce, un opéra, un concert..., on peut regarder le **programme** des **spectacles** *(m)* dans les journaux.
On peut aussi regarder les affiches *(f)* dans la rue, dans le métro. On peut également lire les **critiques** *(f)* (= les commentaires *[m]*) dans les journaux.

Quelques critiques positives
Les acteurs sont très bons, ***remarquables, excellents****: ils* ***jouent*** *très bien.*
Le film est ***passionnant, intéressant****.*
On a adoré la ***mise en scène****.*

Quelques critiques négatives
Les acteurs sont mauvais, ***nuls****: ils jouent mal.*
Le film est ***sans intérêt, ennuyeux****.*
On a détesté la mise en scène.

le musée
visiter un château
un guide/ un conférencier
un réalisateur et des acteurs
prendre un verre
une affiche de ballet

Au milieu du spectacle, il y a parfois un **entracte** (= une pause d'une quinzaine de minutes).
À la fin du spectacle, les spectateurs **applaudissent** les comédiens, les comédiennes et le **metteur en scène** (= la personne qui a monté la pièce de théâtre), les **musiciens**, les **musiciennes** et le **chef d'orchestre**, les **chanteurs** et les chanteuses (dans un concert), les **danseurs**, les danseuses et le/la **chorégraphe** (dans un ballet).
Au spectacle, on donne souvent un **pourboire** (= un peu d'argent) à la personne qui vous place (= qui vous montre votre place).

■ **Sortir en discothèque** *(f)*, **en boîte** (de nuit) pour écouter de la musique, prendre un verre, s'amuser et danser

1 **Dans les deux dialogues, relevez les différentes façons de proposer et d'accepter une sortie.**

	Pour proposer	Pour accepter
Dialogue 1	______________	______________
Dialogue 2	______________	______________

2 **Reliez par une flèche les expressions de sens proche.**

1. ***Lire la critique*** → h	a. Attendre son tour
2. Réserver une place	b. Monter un spectacle
3. Applaudir	c. Faire une visite guidée
4. Mettre en scène	d. Voir une pièce
5. C'est en première exclusivité	e. Aller voir un film
6. Prendre une conférencière	f. Ça vient de sortir
7. Se faire une soirée ciné	g. Acheter son billet à l'avance
8. Aller au théâtre	h. ***Regarder les commentaires dans un journal***
9. Faire la queue	i. Montrer qu'on aime un spectacle

3 **Barrez dans chaque série le mot qui ne va pas avec les autres.**

☞ *Exemple : un programme – une affiche –* ~~***un entracte***~~ *– une critique – un journal de spectacles*

1. un théâtre – un musée – un restaurant – un cinéma – une salle de concert – une cinémathèque – une boîte
2. boire – s'amuser – dîner – réserver – manger – déjeuner – danser
3. un musée – une exposition – une visite guidée – une promenade – un café

4. un comédien – un acteur – un chanteur – une spectatrice – une danseuse – un musicien
5. une chorégraphe – une réalisatrice – un metteur en scène – un opéra – un chef d'orchestre
6. une pièce – un film – un concert – un opéra – une discothèque – un ballet – une exposition

4 **Complétez les phrases avec ces expressions.**
pourboire – cinémathèque – joue – boîte – en exclusivité – réalisateur – critique – entracte – mise en scène – verre

☞ *Exemple : Ce film est remarquable, j'ai oublié le nom du* ***réalisateur****, mais il est espagnol et très connu.*

1. Hier soir, on a retrouvé nos amis américains et on a pris un ________________ à la terrasse d'un café.
2. Ma mère aime voir les nouveaux films. Elle préfère faire la queue une heure mais elle les voit ________________ . Par contre, mon frère adore voir les vieux films et il va souvent à la ________________ .
3. J'ai lu la ________________ de cette nouvelle pièce et ce n'est pas très positif : la ________________ n'est pas mauvaise mais l'acteur principal ________________ mal.
4. Ton amie a envie de danser ; pourquoi vous n'allez pas en ________________ demain soir ?
5. Tu n'as pas de monnaie ? Je voudrais donner un ________________ mais j'ai seulement un billet de 10 euros.
6. N'allez pas voir cette pièce. C'est nul et nous sommes partis à l' ________________, au bout de 40 minutes.

5 **Imaginez ce que vous pouvez dire dans les situations suivantes.**

☞ *Exemple : Vous êtes allé voir un film à la cinémathèque et vous n'avez pas bien entendu les dialogues, le film était trop vieux.* ► ***« Les acteurs sont bons mais le film est très vieux et le son est mauvais. »***

1. Vous sortez d'un concert. La salle a beaucoup applaudi et vous êtes très content du concert. Vous faites un commentaire sur le chef d'orchestre.
   → ________________
2. Vous êtes allé(e) voir une pièce : vous avez aimé les comédiens mais pas la mise en scène.
   → ________________
3. Vous avez adoré un ballet : vous faites un commentaire sur le chorégraphe et sur les danseurs.
   → ________________
4. Vous avez dîné dans un restaurant très connu et très cher et vous n'avez pas aimé la cuisine.
   → ________________

6 **Activité.**
Vous avez très envie de sortir avec votre ami(e) mais il (elle) veut passer l'après-midi (ou la soirée) à la maison. Proposez-lui plusieurs sorties et insistez sur les points positifs de chaque proposition. Votre ami(e) critique chaque proposition et trouve des arguments négatifs.

23 LE RESTAURANT

DANS UNE BRASSERIE

Le serveur: Voici la carte, je vous laisse choisir.
L'homme: Qu'est-ce que tu prends, mon chou ?
La femme: Je n'ai pas très faim. Je vais prendre une salade César.
L'homme: Qu'est-ce que c'est ? Je ne connais pas...
La femme: C'est délicieux et c'est léger: de la salade verte et du poulet rôti avec un peu de mayonnaise et des morceaux de parmesan.
L'homme: Hum, moi, j'ai une faim de loup; j'ai envie d'une entrecôte... C'est servi avec des frites, super !
La femme: C'est tout ? Si tu as très faim, ce n'est pas beaucoup...
L'homme: Oui mais en entrée, je vais pendre une assiette de charcuterie.
Le serveur: Messieurs dames, vous avez choisi ?
L'homme: Oui, mademoiselle va prendre une salade César. Et pour moi, en entrée, une assiette de charcuterie et, comme plat, une entrecôte frites.
Le serveur: Pour la cuisson ?
L'homme: Saignante.
Le serveur: Et comme boisson, vous désirez ?
L'homme: Donnez-nous une demi-bouteille de Bourgueil.
La femme: Et une bouteille d'eau minérale, s'il vous plaît.
Le serveur: Très bien, messieurs dames. Je vous apporte ça tout de suite.
(À la fin des plats.)
Le serveur: Vous avez fini, vous désirez autre chose ? Un dessert peut-être ?
L'homme: Oui, donnez-moi une part de tarte Tatin, avec de la glace à la vanille. Et toi, ma chérie, qu'est-ce que tu veux ?
La femme: Rien, je n'ai plus faim. Je voudrais juste un café.
L'homme: Alors, avec deux cafés et l'addition, s'il vous plaît.

AU RESTAU U

Antoine: Salut François, tu vas déjeuner ?
François: Oui, je vais au fast-food à côté, tu viens ?
Antoine: Non, j'en ai assez des hamburgers. Et puis il y a toujours la queue. Allez, viens, on va au restau U: ce n'est pas cher et c'est rapide. J'ai cours à 14 heures.
François: Je sais, tu vas me dire aussi qu'il y a le choix, que les plats sont équilibrés... Bon allez, arrête ta pub, on y va. Mais passe-moi un ticket, je n'en ai plus.
(Devant les présentoirs de plats.)
François: Oh, il y a des œufs mayonnaise, j'adore ça ! Ma grand-mère m'en faisait quand j'étais petit. Et il y a même de la pizza ! et des yaourts au chocolat, mes préférés !
Antoine: Tu vois, c'est pas mal, le restau U, et on a un repas correct pour 2,60 euros.
François: Oui, c'est vrai, mais c'est bruyant. Après, on va prendre un café au bar tabac en face de la fac. D'accord ?
Antoine: Ça marche. Mais tu es sûr qu'il y aura moins de bruit ?

➤ VOIR AUSSI CHAPITRES 11 « L'ALIMENTATION » ET 12 « LES COURSES ».

Choisir un restaurant

On peut **déjeuner** (entre 12 heures et 14 heures) ou **dîner** (entre 19 heures et 22 heures) dans un **restaurant**, une **brasserie** (= une cuisine plus simple), une auberge (à la campagne), dans un **café** (pour manger un **sandwich**, un **croque-monsieur**, une **omelette** ou une **salade**) ou au **restaurant universitaire** (pour les étudiants).
On peut prendre le **repas** en terrasse (dehors, quand il fait beau) ou en **salle**.

la terrasse d'une auberge

Commander un repas

Quand on entre dans un restaurant, on demande une **table** pour deux, trois (personnes).
Le serveur/la serveuse apporte la **carte**. On peut prendre/choisir des **plats à la carte** ou un **menu** à ... euros (avec un choix de plats : cette formule est plus économique).
Dans la carte, ou au menu, on peut choisir une **entrée** chaude ou froide (= pour commencer le repas), un **plat garni** (de viande ou de poisson servi avec des légumes, une salade verte, du riz ou des pâtes).
On choisit ensuite une **boisson** : un **verre** ou une **bouteille** de **vin**, de la bière, de **l'eau minérale** (= de l'eau plate ou de l'eau gazeuse), ou une carafe d'eau (gratuite).

Quand les plats sont finis, on peut **commander** du **fromage** et/ou un **dessert** puis des **cafés** *(m)* et on demande l'**addition** *(f)*. Le **service** (de 10 % à 20 %) est en général compris dans le prix. On peut, si on veut, laisser en plus un **pourboire** (un peu d'argent en plus pour remercier le serveur).

Les types de plats

■ Les entrées

une soupe, une salade composée (= avec plusieurs produits), une assiette de charcuterie (= du jambon, du pâté, du saucisson), une assiette de crudités (= des légumes crus), des fruits de mer.

une soupe

une assiette de chacuterie

des fruits de mer

■ Les plats (garnis)

– Les **viandes** : du bœuf (un steak, du rosbif), du mouton ou de l'agneau *(m)* (une côtelette, du gigot), du veau (une escalope, du rôti), du porc (une côtelette ou un rôti), du poulet, du canard.
Pour la cuisson du bœuf et du mouton : **saignant, à point, bien cuit**

un steak frites

des côtes *(f)* d'agneau
haricots verts

– Les **poissons** :
du saumon, une sole, une truite,
des sardines *(f)*, des moules *(f)*

des moules *(f)* frites

une sole riz

– Les **garnitures** :
des frites *(f)*, des pommes *(f)* de terre, des haricots verts, des petits pois, des pâtes *(f)*, du riz

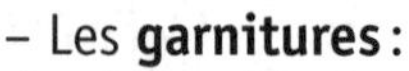

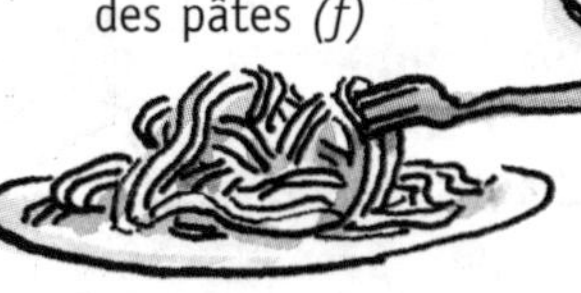

des pâtes *(f)*

du saumon pommes de terre

■ **Les desserts**
une pâtisserie (= une part de tarte *(f)* ou de gâteau *(m)*), une crème (au) caramel, une mousse au chocolat, une glace (au chocolat, à la vanille…) ou un sorbet (= de la glace aux fruits).

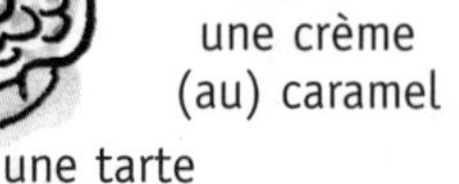

une tarte

une crème (au) caramel

une glace

Demander la composition d'un plat

– *Qu'est-ce que c'est un **bœuf bourguignon** ? Qu'est-ce qu'il y a dans ce plat ?*
– *C'est du bœuf avec une sauce au vin rouge et des oignons, des carottes et des champignons.*
– *Le saumon est **servi avec** quoi ?*
– *Avec des pommes (de terre) vapeur et de la salade verte.*

Faire des commentaires sur les plats

■ **Positifs**
*c'est **léger**, c'est frais, c'est très bon, c'est **délicieux**, c'est **un délice**, c'est excellent*

■ **Mitigés**
*c'est **bizarre**, c'est **étonnant**, c'est original*

■ **Négatifs**
*ce n'est pas (très) bon, c'est **infect**, c'est trop **salé**, trop **gras** (c'est lourd), ce n'est pas assez **épicé**, c'est trop **sucré**, c'est trop **cuit**, ce n'est pas assez cuit… C'est très **cher**.*

1 Relevez dans les dialogues :

1. Les plats : ____________________

2. Les boissons : ____________________

3. Les commentaires : ____________________

2 Reclassez les plats de cette carte de restaurant.

a. *une assiette de charcuterie*
b. un sorbet aux fraises
c. une sole à la crème
d. une crème caramel
e. la salade du chef
f. des moules-frites
g. une tarte aux abricots
h. un bœuf bourguignon
i. une omelette au fromage
j. une salade de tomates
k. un gâteau à l'orange
l. des huîtres

1. Les entrées → *a. (assiette de charcuterie)* ____________________

2. Les plats → ____________________

3. Les desserts → ____________________

3 Soulignez l'expression qui ne va pas avec les autres.

☞ *Exemple : un restaurant – une brasserie – un café – ~~une terrasse~~ – un restaurant universitaire*

1. sucré – salé – léger – gras – cher – lourd – frais
2. délicieux – excellent – parfait – infect – bon
3. commander – choisir – prendre – servir – demander – payer
4. une carte – un menu – un plat – un pourboire – une entrée – un dessert

4 Reliez par une flèche les expressions de sens proche.

1. ***Vous désirez ?*** → h
2. Nous voudrions déjeuner.
3. Vous prenez une entrée ?
4. Et comme plat ?
5. Comme boisson ?
6. C'est servi avec quoi ?
7. Qu'est-ce que vous nous conseillez comme dessert ?
8. L'addition s'il vous plaît.

a. Donnez-nous la carte s'il vous plaît.
b. Qu'est-ce que vous prenez pour commencer ?
c. Il y a quel légume avec le plat ?
d. Qu'est-ce que vous buvez ?
e. Vous pouvez nous apporter l'addition ?
f. Quelle est votre spécialité en desserts ?
g. Vous prenez une viande ou un poisson ?
h. ***Vous avez choisi ?***

5 Remettez le dialogue dans l'ordre.

___ **a.** – Oui, je vais prendre un steak au poivre avec des frites.
___ **b.** – Très bien. Je voudrais la carte des desserts. Vous avez des sorbets ?
___ **c.** *(Quelques minutes plus tard.)* – Vous avez choisi ?
___ **d.** – Bien, pour la cuisson ?
1 **e.** – Bonsoir, c'est pour dîner.
___ **f.** – À point.
7 **g.** – Et comme boisson ?
___ **h.** – Voilà la carte. Je vous laisse choisir.
12 **i.** – Parfait, je vais essayer. Et apportez-moi l'addition, s'il vous plaît.
___ **j.** – Un verre de bourgogne et une carafe d'eau.
___ **k.** *(Quand les plats sont finis.)* – Ça a été ?
___ **l.** – Je vous l'apporte tout de suite. Notre spécialité, c'est le sorbet à la poire avec un sirop de cassis.

6 Activités.

– Vous entrez dans un restaurant pour déjeuner avec un(e) ami(e). Vous commandez vos plats, puis vous payez.

– Vous finissez le dîner. Vous êtes très content(e) de ce repas mais votre ami(e) n'a pas aimé. Deux par deux, faites des commentaires sur les entrées, les plats, les desserts.

Bilan nº 5

❶ Complétez ces mini-dialogues : utilisez les mots entre parenthèses pour faire des phrases complètes.

1. Qu'est-ce que vous faites, le soir du 31 décembre ? *(réveillonner – danser – boire – manger)*

→ ______________________________

2. Tu sais que Marie et Georges vont se marier le mois prochain ? *(faire-part – inviter)*

→ ______________________________

3. C'est bientôt l'anniversaire de Léo. Tu es invité. Tu as une idée de cadeau ? *(offrir – apporter)*

→ ______________________________

4. Vous fêtez Noël chez vous ; qu'est-ce que vous allez préparer ? *(sapin – acheter – cuisiner)*

→ ______________________________

❷ Répondez librement à ces invitations. Quand vous refusez, vous devez donner une raison.

1. Le week-end prochain, on part au bord de la mer. Tu veux venir avec nous ?

– Oui, ______________________________

2. J'ai envie d'aller au cinéma ce soir, ça te dit ?

– Non, ______________________________

3. Pierre a trois places pour un concert de Raphaël samedi prochain, tu viens avec nous ?

– Oui, ______________________________

4. Dimanche, j'aimerais visiter l'exposition au musée d'art moderne, aimeriez-vous m'accompagner ?

– Non, ______________________________

❸ Dites quelque chose dans les situations suivantes.

1. Vous invitez une amie à dîner chez vous ; elle vous offre des fleurs.

→ ______________________________

2. Vous êtes invité(e) à une fête chez des amis, mais vous n'avez pas envie d'y aller ; il y a une personne que vous n'aimez pas du tout ; vous remerciez et vous refusez, donnez une raison.

→ ______________________________

3. Vous devez aller à une soirée chez des amis ; deux copains italiens arrivent chez vous l'après-midi. Vous téléphonez à vos amis pour leur demander conseil.

→ ______________________________

4. Vous allez passer le week-end chez les parents de votre ami et vous ne savez pas quel cadeau faire. Demandez conseil à votre ami.

→ ______________________________

❹ Imaginez les questions posées en fonction des réponses données.

1. ______________________________ ?

– Oui c'est une super idée, j'adore pique-niquer ! Je passe chez toi à 11heures, ça va ?

2. ______________________________ ?

– Non, je suis désolée mais cet après-midi je ne suis pas libre, je dois voir une amie à l'hôpital, et j'ai vu ce film la semaine dernière. Merci et passe un bon après-midi.

3. ______________________________ ?

– Samedi soir, impossible, je suis prise ; mon copain vient de m'inviter dans un restaurant mexicain. Mais si tu veux, on va en discothèque samedi prochain.

4. ______________________________ ?

– Excellente idée, il y a longtemps que je ne suis pas allé au théâtre. On va voir quelle pièce ?

5. ______________________________ ?

– Je veux bien voir cette exposition mais est-ce que mon amie Ursula peut venir avec nous ?

6. ______________________________ ?

– Vingt ans de mariage ? Bien sûr, je viendrai avec Paul. C'est où et quand ?

5 Complétez ce dialogue par les expressions suivantes.

entrée – servi – boisson – menu – plat – bouteille – désirez – choisi

Mesdames, vous avez ______________ ?

– Nous allons prendre un ______________ à 15 euros et pour moi, un ______________ à la carte : une salade de la mer.

– Bien madame. Mademoiselle, dans le menu, vous ______________ quelle ______________ ?

– Une douzaine d'huîtres. Ensuite, je vais prendre un filet de sole. C'est ______________ avec quoi ?

– Des pommes vapeur, du riz ou des haricots verts.

– Bien, alors donnez-moi des haricots verts.

– Qu'est ce que vous prenez comme ______________ ? J'ai un petit vin de Loire très agréable.

– Non merci, pas de vin, une ______________ d'eau gazeuse.

6 Faites des commentaires à partir des situations données.

1. Dans une brasserie du centre-ville, le garçon vous apporte la note : 18 euros pour un sandwich au jambon, une bouteille d'eau et un café. Vous pensez qu'il y a une erreur dans le prix :

   – ______________________________

2. Vous avez dîné dans un très bon restaurant. Vous faites un compliment au serveur sur un plat en particulier :

   – ______________________________

3. Vous avez commandé un steak mais il n'est pas assez cuit. Vous appelez le serveur :

   – ______________________________

4. Le serveur vous apporte une salade du chef mais vous avez demandé une assiette de charcuterie. Vous expliquez :

   – ______________________________

Lexique français

Ce lexique alphabétique répertorie le vocabulaire essentiel des explications de vocabulaire.
Abréviations : adj (adjectif) – adj, n (adjectif et nom) – adv (adverbe) – inv (invariable) – loc (locution) – n (nom masculin et féminin) – nf (nom féminin) – nm (nom masculin) – pl (pluriel) – prép (préposition) – v (verbe)

602 informaticien/-ne n 3
603 ingénieur n 3
604 installer v 14
605 instituteur/-trice n 16
606 intéressant/-e adj 22
607 intérêt nm 22
608 invitation nf 21
609 inviter v 19, 20, 21
610 italien/-ne adj 3
611 itinéraire nm 8
612 jambon nm 11, 12
613 janvier nm 4
614 japonais/-e adj, n 3
615 jardin nm 13, 19
616 jardin public nm 8
617 jardinage nm 13, 19
618 jardiner v 13, 19
619 jaune adj 5
620 jeu nm 17
621 jeudi nm 4
622 jeune adj 6, 15
623 joli/-e adj 6
624 jouer v 13, 16, 17, 19, 22
625 joueur/-euse n 17
626 jour nm 4
627 journal /-aux nm 3, 22
628 journaliste n 3
629 journée nf 4, 18
630 joyeux/-euse adj 20
631 juillet nm 4
632 juin nm 4
633 jumeau/jumelle n, adj 7
634 jupe nf 5
635 jus de fruit nm 12
636 jusque loc 8
637 kilo nm 6, 12
638 lac nm 17
639 laid/-e adj 6
640 laine nf 5, 15
641 lait nm 11, 12
642 laitier adj 11
643 lampe nf 14
644 langue (étrangère) nf 16
645 large adj 5, 15
646 latin nf 16
647 lavabo nf 10, 14
648 lave-linge nm 14
649 laver v 10, 11
650 laver (se –) v 10
651 lave-vaisselle nm 10, 14
652 leçon nf 1, 16
653 lecteur de cassettes nm 1
654 lecteur de DVD nm 14
655 léger/-ère adj 23
656 légume nm 11, 12, 23
657 lent/-e adj 9
658 lessive nf 10, 12
659 lettre nf 1, 21
660 lever (se –) v 10, 18
661 libre adj 21
662 licence nf 16
663 ligne nf 9
664 lin nm 5
665 linge nm 10
666 lire v 1, 10, 13, 16, 19
667 lit nm 10, 14
668 litre nm 12
669 livre nf 12
670 livre nm 1
671 locataire n 13
672 logement nm 13
673 loin de loc 8
674 long/longue adj 5, 6, 15
675 longer v 8
676 louer v 13
677 lourd/-e adj 23
• lourd adv 18
678 loyer nm 13
679 lundi nm 4
680 lunettes nf 6,
– (de soleil) 5
681 lycée nm 3, 8, 16
682 lycéen/-ne n 16
683 machine à laver (le linge) nf 14
684 machine à laver la vaisselle nf 14
685 madame nf 2
686 mademoiselle nf 2
687 magasin nm 3, 8, 12, 15
688 magazine nm 19
689 magnifique adj 6
690 mai nm 4
691 maigre adj 6
692 maillot nm 17
693 mairie nf 8
694 maison nf 13, 19, 21
695 maître/maîtresse n 16
696 mal adv 2
697 malheureusement adv 21
698 malien/-ne adj, n 3
699 manger v 10, 20
700 manteau nm 5
701 manuel nm 1
702 maquiller (se –) v 10
703 marchand/-e n 12
704 marche nf 17
705 marché nm 10, 19
706 marcher v 19
707 mardi nm 4
708 mari nm 7
709 mariage nm 7, 20, 21
710 marié/-e adj 7
711 marier (se –) v 7
712 marqueur nm 1
713 marron adj inv 5
714 marron nm 20
715 mars nm 4
716 master nm 16
717 mat/-e adj 6
718 match nm 17
719 maths, mathématiques nmpl 16
720 matière nf 5, 14, 15, 16
721 matin nm 4, 10
722 matinée nf 4, 10
723 matinée (faire la grasse –) loc 10, 19
724 mauvais/-e adj 18, 19, 22
• mauvais adv 18
725 médecin nm 3
726 médical/-e adj 3
727 médicament nm 12
728 mélanger v 11
729 ménage nm 10
730 ménager/-ère adj 11
731 mensuel/-le adj 4, 9, 13
732 menu nm 23
733 mer nf 17, 21
734 merci nm 2
735 mercredi nm 4
736 mère nf 7
737 mesurer v 6
738 métal nm 14
739 météo nf 18
740 métier nm 3
741 mètre nm 6
742 métro nm 9, 10
743 metteur en scène nm 22
744 meuble nm 14
745 mexicain/-e adj, n 3
746 midi adv 4
747 mi-long adj 6
748 mince adj 6
749 minuit adv 4
750 minute nf 4
751 miroir nm 14
752 mise en scène nf 22
753 mocassin nm 15
754 mode nf 3, 15
755 modèle nm 15
756 moderne adj 13,14
757 moins prép 18
758 mois nm 4
759 monnaie nf 12
760 monsieur nm 2
761 montagne nf 17, 21
762 monter v 9
763 monument nm 19, 22
764 mort/-e adj 7
765 mot nm 1
766 moule nf 23
767 mousse au chocolat nf 23
768 moustache nf 6
769 mouton nm 12, 23
770 moyen/-ne adj 6, 11
771 muguet nm 20
772 mur nm 13
773 mûr/-e adj 12
774 musée nm 3, 8, 19, 22
775 musicien/-ne n 22
776 musique nf 16, 19, 20, 22
777 nager v 17
778 naissance nf 20, 21
779 natation nf 17
780 national/-e adj 8, 20
781 nationalité nf 3
782 naturel/-le adj 14
783 navette nf 9
784 naviguer v 17
785 né/-e adj 4
786 négatif/-ve adj 22
787 neige nf 18
788 neiger v 18
789 nettoyer v 10, 11
790 neveu nm 7
791 nez nm 6
792 nièce nf 7
793 noir/-e adj 5
794 norvégien/-ne adj, n 3
795 novembre nm 4
796 nuage nm 18
797 nuageux/-euse adj 18
798 nuance nf 5
799 nuit nf 2, 4, 10
800 nuit (bleu –) loc 5
801 nul/-le adj 22
802 obligatoire adj 16
803 observer v 1
804 occuper (s'–) v 19
805 octobre nm 4
806 œil, pl yeux nm 6
807 œuf nm 20
808 offrir (s'–) v 20
809 oignon nm 11
810 ombre nf 18
811 omelette nf 23
812 oncle nm 7
813 opéra nm 3, 19, 22
814 orage nm 18
815 orageux/-euse adj 18
816 orange adj inv 5
817 orange nf 11
818 oreille nf 6
819 ouvrier/-ière n 3
820 ouvrir v 1
821 ovale adj 6
822 pacsé/-e adj 7
823 pacser (se –) v 7
824 page nf 1
825 pain nm 12
826 paire nf 5, 15
827 pamplemousse nm 11
828 panier nm 17
829 pantalon nm 5, 15
830 papier peint nm 13
831 paquet nm 12
832 parc nm 8
833 pardon ! loc 2
834 parents nm 7
835 parking nm 3, 13
836 parler v 1
837 part nf 12
838 partie nf 19
839 partir v 4
840 passager/-ère n 9
841 passer v 8, 19
842 passer (un examen) v 16
843 passionnant/-e adj 22
844 passoire nf 11
845 pastille nf 12
846 pâtes nfpl 12, 23
847 pâté nm 12
848 pâtisserie nf 12, 23
849 pâtissier/-ière n 12
850 payer v 12, 13, 15
851 pays nm 3
852 peau nf 6
853 pêche nf 11, 12
854 peindre v 13
855 peint/-e (papier –) adj 13
856 peintre n 3
857 peinture nf 13, 19, 22
858 pensionnaire n 16
859 pensionnat nm 16
860 perdre v 17
861 perdu/-e adj8
862 père nm 7
863 père Noël nm 20
864 permanence nf 16
865 peser v 6
866 petit/-e adj 5, 6, 15
867 petit-déjeuner nm, v 10
868 petite-fille nf 7
869 petit-fils nm7
870 pharmacie nf 3, 12
871 pharmacien/-ne n 3, 12
872 photo, photographie nf 1, 14, 19, 22
873 photographe n 3
874 phrase nf 1
875 physique adj 6
876 pièce (de théâtre) nf 19, 22
877 pièce nf 13
878 pied (à –) loc 8
879 pincée nf 11
880 piscine nf 8, 17
881 piste nf 17
882 placard nm 14
883 place nf 8, 22
884 placer v 22
885 plafond nm 13
886 plaisir (avec –) loc 2, 21
887 plaisir (faire –) loc 21
888 plaque électrique/chauffante nf 11, 14
889 plaquette (de beurre) nf 12
890 plastique nm 14
891 plat nm 11, 12, 23
892 plat garni nm 23
893 plat/-e adj 23
894 pleuvoir, il pleut v 18
895 plomberie nf 13
896 plombier nm 3
897 pluie nf 18
898 pluvieux/-euse adj 18
899 poêle nf 11
900 poignée nf 11
901 point (à –) loc 23
902 pointure nf 15
903 poire nf 11
904 poireau nm 11
905 pois (petit –) nm 11, 23
906 poisson nm 11, 12, 23
907 poissonnerie nf 12
908 poissonnier/-ière n 12
909 poivre nm 11
910 politesse nf 2
911 pomme nf 11, 12
912 pomme de terre nf 11, 12, 23
913 pont nm 8
914 porc nm 11, 12, 23
915 porte nf 13

916 porte-bonheur nm 20
917 portugais/-e adj, n 3
918 poser v 14
919 poser (une question) v 1
920 possible adj 21, 22
921 poste nf 8
922 pot nm 12
923 poulet nm 11, 12, 23
924 pourboire nm 22, 23
925 poussière nf 10
926 pratique adj 9
927 pratiquer v 17
928 prendre v 1, 8, 9, 15
929 préparer v 1, 10, 16
930 préparer (se –) v 10
931 près de loc 8
932 prier (je t'en/vous en prie) v 2
933 primeurs nmpl 12
934 principal/-e adj 13
935 printemps nm 4
936 prise en charge nf 9
937 prix nm 9, 15
938 prochain/-e adj 4
939 produit nm 11
940 prof, professeur n 1, 3, 16
941 profession nf 3
942 programme nm 22
943 promenade nf 19, 21
944 promener (se –) v 19
945 proposer v 21, 22
946 propre adj 9
947 propriétaire n 13
948 proviseur nm 16
949 pull nm 5
950 quai nm 9
951 quart nm 4
952 quartier nm 13, 19, 22
953 question nf 1
954 queue (faire la –) loc 19, 22
955 quotidien nm 4
956 quotidien/-ne adj 10
957 radiateur nm 13
958 radio nf 3
959 raisin nm 11
960 randonnée nf 17
961 ranger v 10,14
962 rapide adj 9
963 raquette nf 17
964 raser (se –) v 10
965 rater v 16
966 rayon nm 18
967 réalisateur/-trice n 22
968 récent/-e adj 13
969 réceptionniste n 3
970 recette nf 11
971 recevoir v 19, 20
972 reçu/-e adj 16
973 redescendre v 8
974 redoubler v 16
975 réfléchir v15
976 réfrigérateur nm 11, 14
977 refuser v 21
978 regarder v 1, 10, 19
979 règle nf 1
980 regretter v 21
981 remarquable adj 22
982 remercier v 2, 21
983 remonter v 8
984 remporter v 17
985 rendez-vous nm 10
986 repas nm 10, 20, 23
987 repasser v 10
988 répéter v 1
989 répondre v 1
990 réponse nf 1
991 reposer (se –) v 10, 19
992 RER nm 9
993 réserver v 22
994 résidence nf 3
995 restaurant nm 3, 10, 19, 21, 22, 23
996 rester v 19
997 résultat nm 16
998 retard (en –) loc 10
999 retourner v 8
1000 rétrécir v 15
1001 retrouver (se –) v 21
1002 réunir (se –) v 20
1003 réussir v 16
1004 réveiller (se –) v 10
1005 réveillon nm 20
1006 réveillonner v 20
1007 revenir v 8
1008 revoir (au –) loc 2
1009 rez-de-chaussée nm 13
1010 rideau nm 14
1011 rien (de –, ce n'est –) loc 2
1012 rire v 20
1013 rivière nf 8
1014 riz nm 12, 23
1015 robe nf 5
1016 robinet nm 11
1017 rond/-e adj 6
1018 rosbif nm 11
1019 rose adj 5
1020 rôti nm 11, 12
1021 rôtir v 11
1022 rouge adj 5
1023 route nf 8
1024 roux/rousse adj 6
1025 rue nf 8
1026 rustique adj 14
1027 sac nm 5, 12
1028 saignant/-e adj 23
1029 saint/-e n 20
1030 saison nf 4
1031 salade (composée) nf 23
1032 salade verte nf 11
1033 saladier nm 11
1034 sale adj 9
1035 salé/-e adj 23
1036 salle nf 16, 23
1037 salle à manger nf 13, 14
1038 salle de bains nf 10, 13, 14
1039 salle de séjour nf, séjour nm 13
1040 salon nm 13, 14
1041 salon de coiffure nm 3
1042 salon de thé nm 22
1043 salut nm 2
1044 samedi nm 4
1045 sandale nf 5
1046 sandwich nm 25
1047 sapin nm 20
1048 sardine nf 12, 23
1049 saucisse nf 12
1050 saucisson nm 12
1051 saumon nm 11, 12, 23
1052 savon nm 12
1053 sciences naturelles nfpl 16
1054 scolaire adj 16
1055 sculpture nf 19, 22
1056 sécher v 10
1057 Seconde nf 4
1058 secrétaire n 3
1059 séjour nm = salle de séjour
1060 sel nm 11
1061 semaine nf 4
1062 semestre nm 4
1063 semestriel/-le adj 4
1064 sentier nm 17
1065 sentir (se –) v 15
1066 septembre nm 4
1067 serré/-e adj 5, 15
1068 serveur/-euse n 3, 23
1069 servi/-e adj 23
1070 service nm 23
1071 servir v 10, 12
1072 seul/-e adj 1
1073 short nm 5, 17
1074 siècle nm 4
1075 sieste (faire la –) nf 19
1076 s'il vous/te plaît loc 2
1077 simple adj 9
1078 sirop nm 12
1079 ski nm 17
1080 skier v 17
1081 sœur nf 7
1082 soie nf 5, 15
1083 soir nm 4
1084 soirée nf 2, 4, 10, 21
1085 soixantaine nf 6
1086 sol nm 10, 13
1087 solde nm, en – loc 15
1088 sole nf 11, 12, 23
1089 soleil nm 18
1090 sorbet nm 23
1091 sortie nf 21, 22
1092 sortir v 10
1093 souffler v 18, 20
1094 souhaiter v 20
1095 soupe nf 23
1096 souris (gris –) loc 5
1097 sous-sol nm 13
1098 spectacle nm 22
1099 spectateur/-trice n 22
1100 sport nm 15, 16, 17, 19
1101 sportif/-ive adj, n 17
1102 stade nm 8, 16, 17
1103 standardiste n 3
1104 station nf 8, 9
1105 steak nm 11, 12
1106 structure nf 13
1107 studio nm 3, 13
1108 style nm 14, 15
1109 styliste n 3
1110 stylo nm 1
1111 sucre nm 11, 12
1112 sucré/-e adj 12, 23
1113 suisse adj, n 3
1114 suivre v 17
1115 suivre (un cours) v 16
1116 superbe adj 6
1117 supérieur/-e adj 16
1118 supermarché nm 3, 10
1119 supplément nm 9
1120 sûr/-e adj 15
1121 surveillant/-e n 16
1122 survêtement nm 17
1123 sweat-shirt nm 17
1124 table nf 1, 14, 23
1125 table (basse) nf 14
1126 table (mettre la –) loc 10
1127 tableau nm 1, 14
1128 tablette (de chocolat) nf 12
1129 taches de rousseur nfpl 6
1130 taille nf 6, 15
1131 tailleur nm 5
1132 talon (chaussures à –) nm 5
1133 tante nf 7
1134 tapis nm 14
1135 tard adv 10
1136 tarif nm 9
1137 tarte nf 12, 23
1138 taxi nm 9, 10
1139 teint nm 6
1140 téléphoner v 21
1141 télévision nf 1, 3, 14, 19
1142 température nf 18
1143 tempête nf 18
1144 temps nm 4, 18, 19
1145 tendre adj 12
1146 tennis nm 15, 17, 19
1147 terminale nf 16
1148 terminus nm 9
1149 terrain (de sport) nm 17
1150 terrasse nf 13, 23
1151 terre (par –) loc 10
1152 tête de station nf 9
1153 texte nm 1
1154 thé nm 10,22
1155 théâtre nm 3, 8, 10, 19, 21, 22
1156 ticket nm 9
1157 tissu nm 5
1158 titre (de transport) nm 9
1159 toilettes nf 13, 14
1160 toit nm 13
1161 tomate nf 11, 12
1162 tombe nf 20
1163 tôt adv 10
1164 tourner v 8
1165 train nm 9
1166 tramway nm 9
1167 tranche nf 12
1168 tranquille adj 13
1169 transport nm 9
1170 transport en commun loc 9
1171 travail (pl -aux) nm 3, 10
1172 travailler v 1, 3 ,10, 13
1173 traverser v 8
1174 trimestre nm 4
1175 trimestriel/-le adj 4
1176 triste adj 20
1177 trouver (se –) v 8
1178 truite 23
1179 t-shirt nm 5, 17
1180 tube nm 12
1181 turquoise (bleu –) loc 5
1182 universitaire adj 23
1183 université nf 3, 8, 16
1184 urbain adj 9
1185 usine nf 3
1186 ustensile nm 11
1187 vaisselle nf 10, 11
1188 veau nm 11, 23
1189 vélo nm 17
1190 vendeur/-euse n 3, 12, 15
1191 vendredi nm 4
1192 venir v 3, 21
1193 vent nm 18
1194 verre nm 10, 11, 14, 23
1195 verre (prendre un –) v 21, 22
1196 verser v 11
1197 vert/-e adj 5
1198 veste nf 5
1199 vêtement nm 5, 15, 17
1200 veuf/veuve adj 7
1201 viande nf 11, 12, 23
1202 victoire nf 17
1203 vie nf 3
1204 vieux (vieil)/vieille adj 13
1205 vif/-ive adj 5, 11
1206 vilain/-e adj 6
1207 village nm 8, 13
1208 ville nf 8, 13, 19
1209 vin nm 12, 20, 21, 23
1210 vinaigre nm 11
1211 vingtaine nf 6
1212 violet/-te adj 5
1213 visage nm 6
1214 visite nf 21
1215 visite (rendre – à) loc 19, 20
1216 visiter v 19, 22
1217 vite adv 1, 9
1218 vitre nf 10
1219 vitrine nf 15
1220 vivre v 13
1221 voile nf 17
1222 voisin/-e n 1
1223 voiture nf 10, en – 8
1224 volaille nf 12
1225 volley(-ball) nm 17
1226 volontiers adv 2
1227 vouloir v 2
1228 voyageur, -euse n 9
1229 VTT nm 17
1230 W.-C. nmpl 13, 14
1231 week-end nm 2, 19, 21
1232 yaourt nm 11, 12

Lexique anglais

This glossary lists the essential vocabulary used for explanation of meanings.

1 season ticket 9
2 bus shelter 9
3 apricot 11
4 absent 1
5 to take (credit card) 12, 15, to accept 21
6 (fashion) accessory 5,17
7 to come with, to accompany 21
8 all right 21
9 to buy 13, 15
10 actor 3, 22
11 routine 10, activity 19, 21
12 bill 23
13 successful (candidate) 16
14 to like, to love 22
15 poster 14, 22
16 age 6
17 old 6
18 estate agent's 13
19 employee (ticket sales office) 9
20 lamb 11, 12, 23
21 nice 18
22 farmer 3
23 to help 15
24 the oldest 7
25 to get some fresh air 19
26 to add 11
27 food, foods 11
28 food 11
29 German 3
30 to be/feel (fine) 2, to go 8, 21
31 to go (with) 15
32 single (ticket) 9
33 return (ticket) 9
34 look, appearance 9
35 to install, to fit out 14
36 fine (to be fined) 9
37 to bring somebody 21
38 American 3
39 friend 20
40 in love, lover 20
41 to enjoy oneself, to have fun 19,20, 22
42 year 4, New Year's Day 20
43 pineapple 11
44 old 13, 14
45 English 3
46 at the corner 8
47 busy 13
48 year 4
49 birthday 4, 20, 21
50 annual, yearly 9
51 August 4
52 before-dinner drink 21
53 appearance 6
54 flat 13
55 to applaud 22
56 to bring something 21
57 to learn 1, 16
58 past, after 8
59 the day after tomorrow 4
60 afternoon 4
61 referee, umpire 17
62 rainbow 18
63 architect 3
64 architecture 3
65 silver, silver-plated 5
66 bathroom cabinet 14
67 wardrobe 14
68 arrêt nm (bus) stop 8, 9
69 behind, back 8
70 great-grandmother 7
71 great-grandfather 7
72 to arrive in, to get to 4
73 item, model 15
74 art (school subject) 16
75 lift 13
76 hoover 10
77 (sauce) dressing 11
78 plate 10, 11, 23
79 to attend (to), to see 22
80 workshop 3, shed 13
81 to reach 18
82 to wait for 9
83 inn 23
84 eggplant 11
85 the next size down 15
86 the next size up 15
87 today 4
88 autumn 4
89 motorway 8
90 in advance 22
91 (to be) early 10
92 before 8
93 the day before yesterday 4
94 avenue 8
95 shower 18
96 lawyer 3
97 April 4
98 A-levels 16
99 holder of the French 'baccalauréat' 16
100 luggage 9
101 baguette, French bread 12
102 bath 10, 14
103 bath 10, to have a bath 10
104 to drop, to fall 18
105 ball 20
106 broom 10
107 to sweep 10
108 balcony 13
109 ball 17
110 ballet 22
111 ball 17
112 banana 11, 12
113 suburb 9
114 bank 3
115 bar 3, 22
116 beard 6
117 low (temperatures) 18
118 basketball 17
119 trainers 5
120 to chat (with) 10
121 beautiful 6, nice, lovely (weather, day) 18 • fine, nice, lovely (weather) 18
122 son-in-law 7
123 beige 5
124 Belgian 3
125 daughter-in-law 7
126 butter 11, 12
127 library 8, 14, 16
128 (see you) soon
129 beer 23
130 ticket 9
131 adj white 5
132 blue 5, 18
133 fair, blond 6
134 jacket 5, 17
135 beef 11, 12, 23
136 to drink 20
137 wood 14
138 drink 12, 23
139 tin 12, nightclub, disco 22
140 bowl 11
141 good, happy 20 • nice (weather) 18
142 good morning 2
143 cheap 12
144 good evening
145 (on the river) bank 8
146 taxi-rank 9
147 boots 15
148 mouth 6
149 butcher 12
150 butchery 12
151 candle 20
152 baker 12
153 bakery 12
154 (Christmas) baubles 20
155 boulevard 8
156 end, at the end of 8
157 bottle 12, 21, 23
158 shop 15
159 pub, bar 23
160 certificate of general education, GCSE 16
161 do-it-yourself, DIY 13, (to do) DIY 19
162 to do DIY 13, 19
163 to shine 18
164 to brush (one's teeth) 10
165 fog 18
166 dark, brown 6
167 noisy 13
168 Yule log 20
169 sideboard 14
170 desk 1, 14, office 3, 10
171 bus 9, 10
172 goal 17
173 cabaret 3
174 fitting room 15
175 surgery 3
176 dental surgery 3
177 present, gift 21, 20
178 pub 3, 10, 22, 23 ; coffee 10, 12, 22, 23
179 cafeteria 16
180 notebook 1
181 cashier 3
182 calendar 4
183 quiet 13
184 country, countryside 3, 13, 17, 19, 21
185 Canadian 3
186 settee, sofa 14
187 duck 12, 23
188 canteen, dining hall 16
189 carafe, jug 23
190 book of tickets 9
191 carrot 11, 12
192 window, window-pane 10
193 crossroads 8
194 card 19, (to play) cards 23 [jouer aux-]
195 bank card 12, 15
196 à la carte menu 23
197 invitation card 21
198 cap 5
199 saucepan 11
200 cassette 1
201 cellar 13
202 CD 1
203 belt 5
204 single 7
205 shopping centre 8
206 cereal 12
207 cherry 11
208 hi-fi 14
209 chair 1, 14
210 bedroom 10, 13, 14
211 champion 17
212 change 9
213 to get changed 9, 10, to move (the furniture around) 14
214 singer 3, 22
215 hat 5
216 pork butcher's shop and delicatessen 12, assorted cooked meats 23
217 pork butcher 12
218 to load (the dishwasher) 10
219 service charges 13
220 brown, brown-haired 6
221 castle 19, 22
222 hot (weather) 18
223 heating 13
224 to heat 11
225 driver 9
226 to put one's shoes on 10
227 sock 5
228 shoe 5, 15, sports shoes 17
229 bald l6
230 conductor 22
231 way 8, path 17
232 chimney 13
233 shirt 5
234 blouse 5
235 cheque 12, 15
236 expensive 9, 15, 23
237 to look for 8, 15
238 hair 6, 10
239 Chinese 3
240 (bar) of chocolate 12, (Christmas) chocolates 20, chocolates 21
241 to choose 15, 22, 23
242 choreographer 22
243 cabbage 11
244 sky 18
245 cemetery 20
246 (on) the set 3, cinema 8, 19, 21, 22, film 19
247 film library 22
248 to run (bus) 9
249 circus 19
250 lemon 11
251 lemon-yellow 5
252 clear, fair 5, light 6, cloudless 18
253 classroom 1, year 16
254 preparatory classes for the 'Grandes Ecoles' entrance exam 16
255 classical 14, classic 15
256 customer 12
257 clinic 3
258 cocktail party 21
259 casserole, pressure cooker 11
260 to comb one's hair 10
261 hairdresser 3
262 on the corner 8
263 team (sports) 17
264 school, secondary school 3, 16
265 secondary school pupil 16
266 Colombian 3
267 actor 3, 22
268 to order 23
269 police station 8
270 chest of drawers 14
271 (to take part in) competitive events 17
272 complicated 9
273 ingredients (dish) 23
274 to punch 9
275 to understand 1
276 tablet 12
277 included (service, charges) 13, 23, 23
278 accountant 3
279 account 3
280 meter, on the clock 9
281 concert 21, 22
282 entrance exam 16
283 cohabitee 7
284 to drive 10
285 lecturer 22
286 jam 12
287 comfortable 9
288 freezer 11, 14
289 tin 12
290 to go on 8
291 to check 9
292 (ticket) inspector, controller 9

293 build 6
294 marking 1
295 connection 9
296 to mark 1
297 suit 5
298 next to 8
299 chop 11, 12
300 chop 11, 12
301 cotton 5, 15
302 to go to bed 10
303 colour 5, 15
304 corridor 13
305 to cut 11
306 courtyard 13
307 playground 16
308 courgette 11
309 to run a race 17, to go running 19
310 lesson, class, course 16
311 2nd and 3rd years of elementary school 16
312 4th and 5th years of primary school 16
313 first-year infants class 16
314 fare 9, shopping 10, 12, race 17
315 (to go) shopping 10, 19
316 (tennis) court 17
317 short (garment) 5, 15, short-haired 6
318 cousin 7
319 knife 11
320 to cost 12, 15
321 cutlery 10
322 overcast, cloudy 18
323 crab 11
324 chalk 1
325 tie 5
326 pencil 1
327 (skin) cream 12, crème (caramel) 23
328 crème fraîche 11, 12
329 dairy 12
330 dairyman (dairywoman) 12
331 shrimp 11, 12
332 (film) review 22
333 croissant 12
334 (assorted) raw vegetables, crudités 23
335 spoon 11
336 spoonful 11
337 leather 5, 15
338 to cook 11
339 (to do) the cooking 10, cooking, food 11, kitchen 13, 14, 19
340 cooker 11, 14
341 cuisson nf cooking 23
342 well done , overdone 23
343 buckskin, suede 15
344 Danish, Dane 3
345 to dance 20, 22
346 dancer 3, 22
347 day, date 4
348 to clear (the table) 10
349 December 4
350 casual 15
351 to decorate 14, 20
352 clear (sky) adj 18
353 degree (Celsius) 18
354 outside 19
355 lunch 10, 19, 21, 22, 23
356 delicious, tasty 12, 23
357 tomorrow 4
358 to ask somebody 1, to ask for 15, 23
359 to move, to move house 13
360 half past 4
361 half-brother 7
362 half-sister 7
363 tooth 6, 10
364 dental 3
365 toothpaste 12
366 dentist 3
367 secondary (road) 8
368 to exceed, to go up 18
369 to hurry 10
370 to travel, to get around 9
371 last 4, 13
372 behind 8
373 to get off 9
374 to take one's clothes off 10
375 to help (in shop), can I help you? 12, 15
376 sorry 2, 21
377 dessert, pudding 21, 23
378 drawing 1
379 draughtsman/-woman, designer 3
380 to relax 10, 13
381 to hate, to dislike 22
382 two-roomed flat 13
383 in front 8
384 homework 1, 16
385 to owe 12
386 dialogue 1
387 Sunday 4
388 turkey 20
389 (to have) dinner 10, 23, 21, to eat out (for dinner) 19, 22
390 direct, through (train) 9
391 manager 3, head teacher 16
392 direction, way 9
393 disco, discotheque 10, 22
394 to play (a match) 17
395 ticket machine 9
396 divorced adj 7
397 to get divorced 7
398 PhD 16
399 school library16
400 domestic, household 10
401 house (house-warming party) 20
402 (what) a shame, a pity 21
403 to answer 1
404 golden 5
405 to sleep 10, 13
406 shower 10, 14
407 (to have) a shower 10
408 gentle, (over a) slow heat 11 • mild (weather) 18
409 dozen 12
410 straight on 8
411 on the right 8
412 hard, unripe 12
413 water 12
414 mineral water 23
415 scarf 5
416 sunny spell, bright interval 18
417 to break (storm) 18
418 infant school 16
419 primary school 16
420 school 3, 8, 10, 16
421 schoolboy (schoolgirl) 16
422 cheap 9
423 to listen (to) 1, 10, 19, 22
424 to write 1
425 physical education 16
426 church 8, 19, 22 (to go) to church 20
427 to stretch (clothes) 15
428 electricity 13
429 pupil 1, 16
430 high (temperature) 18
431 traffic jam 19
432 to kiss (each other) 20
433 to move in 13
434 timetable 16
435 clerk 3
436 to fall asleep, to go to sleep 10
437 child 7
438 to get bored 19
439 boring 22
440 teacher 16
441 teaching 16
442 to teach 3, 16
443 outfit, suit 5
444 sunny 18
445 interval 22
446 to train 17
447 between ... and 8
448 entrance 13, starter, first course 23
449 company 3
450 upkeep 12, 13
451 to send 20, 21
452 thick 6
453 to spell 1
454 spice 11
455 spicy 23
456 grocery 12
457 grocer 12
458 to peel 11
459 sponge 12
460 test 16
461 team 17
462 fitted (kitchen) 13
463 (household) appliances 11, 14
464 stair 13
465 escalope 11
466 Spanish 3
467 cash 15
468 to try on 15
469 to wipe, to dry up 10
470 floor 13
471 shelf 14
472 summer 4
473 to hang out (the washing) 10
474 tight 5, 15
475 research department 3
476 studies 16
477 student 1, 3, 16
478 to study 3, 10, 16
479 European 3
480 sink 11, 14
481 exam 16, 20
482 excellent, brilliant (idea) 21, 22, 23
483 on general release (movie) 22
484 to excuse, to be sorry 2
485 exercise 1
486 to be available 15
487 explanation 1
488 to explain 1
489 exhibition 19, 21, 22
490 faculty, uni 16
491 in front 8
492 easy 9
493 to look (young) 15, to take (garment/shoe size) 15, to cost (price) 15, to be (weather) 18
494 announcement 20
495 thank you, you should not have (informal) 21
496 family (celebrations) 20
497 family 7, 19, 20
498 flour 12
499 to take (time) 8
500 armchair 14
501 woman 7
502 window 13
503 iron 10
504 public, bank (holiday) 20
505 farm 3
506 to close 1
507 party, celebration, holy day, (Labour) day, (music) festival, national day 20
508 heat 11
509 red light 8
510 fireworks 20
511 February 4
512 net 17
513 daughter 7
514 film 19, 22
515 son 7
516 end 8
517 fine, delicate 6
518 finished 1
519 to finish 1
520 flower 21
521 dark 5
522 functional 13
523 football 17
524 formal 21
525 large, overweight 6, heavy (rain) 18 • loud 1
526 scarf 5
527 oven 11
528 microwave oven 11, 14
529 fork 11
530 agency fees 13
531 fresh 12, 23 • cool (weather) 18
532 strawberry 11
533 raspberry (colour) 5
534 French 3
535 brother 7
536 curly 6
537 chip 23
538 cold (weather) 18
539 cheese 11, 12, 25
540 fruit 11, 12
541 seafood 11, 12, 23
542 to win 17
543 glove 5
544 garage 13
545 caretaker, porter 3, 13
546 railway station 8, 9
547 accompaniment, garnish 23
548 cake 12, 20, 23
549 (on the) left 8
550 sparkling (water) 23
551 to freeze, (to be) freezing 18
552 son-in-law 7
553 nice, kind 21
554 geography 16
555 leg of lamb 11, 12
556 cardigan 5
557 mirror 14, ice cream 23
558 rubber 1
559 drop 11, 12
560 big 5, 15 tall 6
561 grandmother 7
562 grandfather 7
563 grandparents 7
564 fatty 23
565 (that's) all right 2
566 Greek 3
567 attic 13
568 grey 5, 18
569 fat 6
570 group 1
571 ticket office 9
572 guide 22
573 tinsel 20
574 gym, gymnasium 16, 17
575 gymnastics 17
576 smart, dressy 15
577 to get dressed 10
578 to live 13
579 handball 17
580 green bean 11, 12, 23
581 weekly 9, weekly (magazine) 4
582 mixed herbs 11
583 hour 4
584 rush hour 9
585 early 10
586 yesterday 4
587 history 16
588 winter 4
589 lobster 11
590 hospital 3
591 hours 4
592 oil 11
593 oyster 11
594 household cleaning (product) 12
595 idea 21
596 building 13
597 directions 8
598 to point out, to show the way to sb 8
599 individual 17
600 disgusting 23
601 nurse 3
602 computer scientist 3
603 engineer 3
604 to put up, to install 14
605 school teacher 16

606 adj interesting 22
607 (of no) interest 22
608 invitation 21
609 to invite 19, 20, 21
610 Italian 3
611 itinerary, route 8
612 ham 11, 12
613 January 4
614 Japanese 3
615 garden 13, (to do) some gardening 19
616 park, public garden 8
617 gardening 13, 19
618 to garden 13, 19
619 yellow 5
620 game 17
621 Thursday 4
622 young 6, 15
623 pretty, nice 6
624 to play 13, 16, 17, 19, to give a (superb) performance (actors) 22
625 player 17
626 day 4
627 newspaper 3, 22
628 journalist 3
629 day 4, 18
630 merry 20
631 July 4
632 June 4
633 twin 7
634 skirt 5
635 fruit juice 12
636 up to, until 8
637 kilo 6, 12
638 lake 17
639 ugly 6
640 wool 5, 15
641 milk 11, 12
642 dairy (products) 11
643 lamp 14
644 (foreign) language 16
645 big 5, baggy 15
646 Latin 16
647 washbasin 10, 14
648 washing-machine 14
649 to wash 10, 11 to wash up 10
650 to have a wash 10
651 dishwasher 10, 14
652 lesson 1, 16
653 cassette player 1
654 DVD player 14
655 light (meal) 23
656 vegetable 11, 12, 23
657 slow 9
658 washing 10, washing powder, laundry washing liquid 12
659 letter 1, 21
660 to get up 10, to rise (wind) 18
661 free, (not) available 21
662 bachelor's degree 16
663 line 9
664 linen (suit) 5
665 linen, laundry 10
666 to read 1, 10, 13, 16, 19
667 (to go to) bed 10, 14
668 tre 12
669 pound 12
670 book 1
671 tenant 13
672 accommodation 13
673 far from 8
674 long 5, 6, 15
675 to go along 8
676 rent 13
677 heavy, rich 23
• heavy, close 18
678 rent 13
679 Monday 4
680 glasses 6, sunglasses 5
681 secondary school 3, 8, 16
682 secondary school pupil 16
683 washing-machine 14
684 dishwasher 14
685 Madam 2
686 Miss 2
687 shop 3, 8, 12, 15
688 magazine 19
689 gorgeous adj 6
690 May 4
691 thin, skinny adj 6
692 T-shirt 17
693 town hall 8
694 house 13, (at) home 19, 21
695 primary school teacher 16
696 (not) bad 2
697 unfortunately, 21
698 Malian 3
699 to have lunch 10, to eat 20
700 coat 5
701 textbook, coursebook 1
702 put on one's make-up 10
703 shopkeeper, stallholder 12
704 walk, walking 17
705 market 10, 19
706 to walk 19
707 Tuesday
708 husband 7
709 marriage 7, wedding 20, 21
710 married 7
711 to get married 7
712 marker pen 1
713 brown inv 5
714 chestnut 20
715 March 4
716 Master's degree 16
717 olive adj 6
718 match 17
719 maths 16
720 subject 5, 14, 15, 16
721 morning 4, 10
722 morning 4, 10
723 (to have) a long lie-in 10, 19
724 poor, bad (weather) 18, 19, 22
725 doctor 3
726 medical 3
727 medicine 12
728 to mix 11
729 (to do) the housework 10
730 household (appliances) 11
731 monthly 4, 9, 13
732 set menu 23
733 sea 17, 21
734 thank you 2
735 Wednesday 4
736 mother 7
737 to measure, to be (height) 6
738 metal 14
739 weather forecast 18
740 job 3
741 metre 6
742 underground 9, 10
743 director 22
744 furniture 14
745 Mexican 3
746 12 o'clock 4
747 shoulder-length 6
748 slim 6
749 midnight 4
750 minute 4
751 mirror 14
752 production (film) 22
753 moccasin 15
754 fashion 3, fashionable, trendy 15
755 model 15
756 modern, new 13, contemporary 14
757 minus (three) 18
758 month 4
759 change 12
760 sir 2
761 mountains 17, 21
762 to get on 9
763 monument 19, 22
764 dead 7
765 word 1
766 mussel 23
767 chocolate mousse 23
768 moustache 6
769 mutton 12, 23
770 medium-sized 6, over medium (heat) 11
771 lily of the valley 20
772 wall 13
773 ripe 12
774 museum 3, 8, 19, 22
775 musician 22
776 music 16, 19, 20, 22
777 to swim 17
778 birth 20, 21
779 swimming 17
780 trunk road 8, National (day) 20
781 nationality 3
782 natural 14
783 shuttle 9
784 to sail 17
785 born 4
786 rubbish (film) 22
787 snow 18
788 to snow 18
789 to clean 10, to wash 11
790 nephew 7
791 nose 6
792 niece 7
793 black 5
794 Norvegian 3
795 November 4
796 cloud 18
797 cloudy 18
798 shade, hue 5
799 night 2, 4, 10
800 midnight blue 5
801 very bad 22
802 compulsory 16
803 to observe, to watch carefully 1
804 to look after 19
805 October 4
806 eye(s) 6
807 egg 20
808 to give, to give each other (presents) 20
809 onion 11
810 (in the) shade 18
811 omelette 23
812 uncle 7
813 opera 3, 19, 22
814 storm 18
815 stormy 18
816 orange (colour) 5
817 orange (fruit) 11
818 ear 6
819 worker 3
820 to open 1
821 oval 6
822 person who has signed a civil solidarity pact,'Pacs' 7
823 to sign a 'Pacs' contract (civil partnership) 7
824 page 1
825 bread 12
826 pair 5, 15
827 grapefruit 11
828 basket 17
829 trousers 5, 15
830 wallpaper 13
831 packet 12
832 park 8
833 sorry ! 2
834 parents 7
835 car park 3, 13
836 to speak 1
837 portion, piece 12
838 game (cards) 19
839 to leave 4
840 passenger 9
841 to go past something 8, to spend (weekend) 19
842 to sit for (an exam) 16
843 captivating 22
844 sieve, colander 11
845 pastille, lozenge 12
846 pasta 12, 23
847 pâté 12
848 bakery 12, pastry, cake 23
849 baker 12
850 to pay 12, 13, 15
851 country 3
852 skin 6
853 peach 11, 12
854 to paint 13
855 wallpaper 13
856 painter 3
857 paint 13, painting 19, 22
858 boarder 16
859 boarding school 16
860 to lose 17
861 (to get) lost 8
862 father 7
863 Father Christmas 20
864 study room 16
865 to weigh 6
866 small 5, 6, 15
867 (to have) breakfast 10
868 granddaughter 7
869 grandson 7
870 pharmacy, chemist's 3, 12
871 pharmacist, chemist 3, 12
872 photo(graph) 1, 14, 19, 22
873 photograph 3
874 sentence 1
875 physical 6
876 play 19, 22
877 room 13
878 (on) foot 8
879 pinch 11
880 swimming pool 8, 17
881 ski slope 17
882 cupboard 14
883 place 8, seat 22
884 to show sb to a seat (usherette) 22
885 ceiling 13
886 (with) pleasure 2, 21
887 to be a pleasure (for sb) 21
888 hotplate 11
889 pack (of butter) 12
890 plastic 14
891 dish (for serving) 11, ready-cooked meal 12, à la carte dish, main dish 23
892 main dish served with vegetables 23
893 non-sparkling 23
894 to rain 18
895 plumbing 13
896 plumber 3
897 rain 18
898 rainy 18
899 frying pan 11
900 handful 11
901 medium (steak) 23
902 shoe size 15
903 pear 11
904 leek 11
905 peas 11, 23
906 fish 11, 12, 23
907 fishmonger's 12
908 fishmonger 12
909 pepper 11
910 politeness 2
911 apple 11, 12
912 potato 11, 12, 23
913 bridge 8
914 pork 11, 12, 23
915 door 13
916 lucky charm 20
917 Portuguese 3
918 to put sth on, to put down 14
919 to ask (a question) 1
920 (not) possible 21, 22
921 post office 8
922 cooking pot 12
923 chicken 11, 12, 23
924 tip 22, 23
925 (to) dust 10
926 convenient 9

927 to practise 17
928 to turn (left) 8, to take (a line, connection) 1, 9, to come up to sb 15
929 to do (an exercise) 1, to make, to cook (dinner) 10, to study for (an entrance exam)16
930 to get ready 10
931 near, next to 8
932 please do ! 2
933 early fruit and vegetables 12
934 main 13
935 spring 4
936 pick-up charge 9
937 price 9, 15
938 next 4
939 product 11
940 teacher 1, 3, 16
941 occupation 3
942 (arts and entertainment) guide 22
943 walk 19, 21
944 to go for a walk 19
945 to propose, to suggest 21, 22
946 clean 9
947 owner, landlord 13
948 headteacher 16
949 pullover, sweater 5
950 platform 9
951 quarter 4
952 area, district 13, 19, 22
953 question 1
954 to queue up 19, 22
955 daily paper 4
956 daily 10
957 heater 13
958 radio 3
959 grape 11
960 hiking, rambling 17
961 to put away (linen) 10, to put (things) away 14
962 quick, fast 9
963 racket 17
964 to shave 10
965 to fail 16
966 ray 18
967 film director 22
968 new 13
969 receptionist 3
970 recipe 11
971 to have somebody round (for dinner) 19, to get (a present) 20
972 successful, pass (in an exam) 16
973 to go back down 8
974 to repeat (a year) 16
975 to think about 15
976 refrigerator 11, 14
977 to refuse (an invitation) 21
978 to watch (a film) 1, 10, 19
979 ruler 1
980 to be sorry 21
981 brilliant, excellent 22
982 to thank 2, 21
983 to go back up 8
984 to win (a victory) 17
985 apppointment 10
986 meal 10, 20. 23, lunch, dinner 23
987 to iron 10
988 to repeat 1
989 to answer 1
990 answer 1
991 to rest, to have a rest 10, 19
992 Paris metropolitan and regional rail system 9
993 to book (a table, a seat) 22
994 residence 3
995 restaurant 3, 10, 19, 21, 22, 23
996 to stay (at home) 19
997 result 16
998 (to be) late 10
999 to turn back, to go back to 8
1000 to shrink 15
1001 to meet 21
1002 to meet, to get together 20
1003 to pass (an exam) 16
1004 to wake up 10
1005 Christmas Eve, New Year's Eve (celebration, dinner) 20
1006 to celebrate (Christmas Eve, New Year's Eve) 20
1007 to return, to go back 8
1008 goodbye 2
1009 ground floor 13
1010 curtain 14
1011 not at all, (that's) all right 2
1012 to laugh 20
1013 river 8
1014 rice 12, 23
1015 dress 5
1016 tap 11
1017 round 6
1018 roast beef 11
1019 pink 5
1020 roasting meat 11, 12
1021 to roast 11
1022 red 5
1023 road 8
1024 red-haired, redhead 6
1025 street 8
1026 rustic (style) 14
1027 bag 5, sack 12
1028 rare (meat) 23
1029 saint 20
1030 season 4
1031 mixed salad 23
1032 green salad, lettuce 11
1033 salad bowl 11
1034 filthy 9
1035 salty 23
1036 (eating) indoors, 16, 23
1037 dining-room 13, 14
1038 bathroom 10, 13, 14
1039 living room, lounge 13
1040 living-room 13, lounge suite 14
1041 hairdressing salon 3
1042 tearoom 22
1043 hello 2
1044 Saturday 4
1045 sandal 5
1046 sandwich 25
1047 Christmas tree 20
1048 sardine 12,23
1049 sausage 12
1050 sausage, salami 12
1051 salmon 11, 12, 23
1052 soap 12
1053 natural science, biology 16
1054 school 16
1055 sculpture 19, 22
1056 to put the washing out to dry 10
1057 second 4
1058 secretary 3
1059 living-room 13
1060 salt 11
1061 week 4
1062 semester 4
1063 biannual 4
1064 path 17
1065 to feel 15
1066 September 4
1067 tight 5, 15
1068 waiter, waitress 3, 23
1069 served (with) 23
1070 service 23
1071 to serve 10, 12
1072 on one's own, alone 1
1073 (pair of) shorts 5, 17
1074 century 4
1075 to have a nap 19
1076 please 2
1077 easy 9
1078 cough syrup 12
1079 ski 17
1080 to ski 17
1081 sister 7
1082 silk 5, 15
1083 (in the) evening 4
1084 evening 2, 4, 10, 21
1085 (in her) sixties 6
1086 floor 10, 13
1087 sales, on sale 15
1088 sole 11, 12, 23
1089 sun 18
1090 sorbet, water ice 23
1091 outing, going out 21, 22
1092 to go out 10
1093 to blow (wind) 18, blow out (candles) 20
1094 to wish (each other) 20
1095 soup 23
1096 mouse-coloured 5
1097 basement 13
1098 (to go to a) show 22
1099 spectator 22
1100 casual (style) 15, sport 16, 17, (to do) sport 19
1101 sports, sporty, sportsman, sportswoman 17
1102 stadium 8, 16, 17
1103 switchboard operator 3
1104 (bus) stop 8, (bus, underground) station 9
1105 steak 11, 12
1106 layout (room) 3
1107 studio flat 3, 13
1108 style 14 , 15
1109 fashion designer 3
1110 pen 1
1111 sugar 11, 12
1112 sweet 12, sugary 23
1113 Swiss, Swissman/-woman 3
1114 to watch (a match) 17
1115 to do, to take (a course) 16
1116 superb 6
1117 higher (education) 16
1118 supermarket 3, 10
1119 supplement, extra 9
1120 sure 15
1121 monitor 16
1122 tracksuit 17
1123 sweatshirt 17
1124 table 1, 14, table (for two) 23
1125 coffee table 14
1126 table, (to lay) the table 10
1127 board 1, painting 14
1128 bar (of chocolate) 12
1129 freckles 6
1130 height 6, size 15
1131 suit 5
1132 heel (shoes) 5
1133 aunt 7
1134 carpet 14
1135 late 10
1136 fare, price 9
1137 tart (cookery) 12, 23
1138 taxi 9, 10
1139 complexion 6
1140 to phone 21
1141 television 1, 3, 14, 19
1142 temperature 18
1143 storm 18
1144 (to have) time 4, weather 18, (to take one's) time 19
1145 mellow (fruit) 12
1146 tennis (shoes) 15, tennis 17, 19
1147 sixth form 16
1148 terminus 9
1149 sports ground 17
1150 (eating) outdoors, 13, 23
1151 (on the) floor 10
1152 front carriage 9
1153 text 1
1154 tea 10,22
1155 theatre 3, 8, 10, 19, 21, 22
1156 ticket 9
1157 fabric, cloth 5
1158 ticket 9
1159 toilet 13, 14
1160 roof 13
1161 tomato 11, 12
1162 grave 20
1163 early 10
1164 to turn (left) l 8
1165 train 9
1166 tramway 9
1167 slice 12
1168 quiet 13
1169 transport, transportation 9
1170 public transport 9
1171 work, works 3, 10
1172 to work 1, 3 ,10, 13
1173 to cross, to go through 8
1174 term 4
1175 adj quarterly 4
1176 sad 20
1177 to be (referring to place) 8
1178 trout 23
1179 T-shirt 5, 17
1180 tube (of toothpaste) 12
1181 turquoise 5
1182 university canteen 23
1183 university 3, 8, 16
1184 urban 9
1185 factory 3
1186 (kitchen) ustensil 11
1187 (to do) the washing-up 10, crockery 11
1188 veal 11, 23
1189 bike 17
1190 salesman/-woman 3, seller 12, sales assistant 15
1191 Friday 4
1192 to come (from) 3, to come for (dinner) 21
1193 wind 18
1194 glass 10, 11, 14, 23
1195 (to have) a drink 21, 22
1196 to pour 11
1197 green 5
1198 jacket 5
1199 garment 5, 15, 17
1200 widower, widow 7
1201 meat 11, 12, 23
1202 victory 17
1203 life 3
1204 old 13
1205 bright (colour) 5, (over) brisk heat 11
1206 ugly 6
1207 village 8, 13
1208 town 8, 13, in town 19
1209 wine 12, 20, 21, 23
1210 vinegar 11
1211 (in his) twenties 6
1212 purple 5
1213 face 6
1214 visit (of a museum) 21
1215 to visit (somebody) 19, 20
1216 to visit, to go around 19, 22
1217 quickly 9
1218 window 10
1219 shop window 15
1220 to live 13
1221 sailing 17
1222 neighbour, sitting beside one 1
1223 car 10, (by) car 8
1224 poultry 12
1225 volleyball 17
1226 with pleasure 2
1227 to like 2
1228 passenger n 9
1229 mountain bike 17
1230 water-closet 13, 14
1231 weekend 2, 19, 21
1232 yoghurt 11, 12

Lexique espagnol

Este léxico alfabético incluye el vocabulario esencial de las explicaciones de vocabulario.

1 suscripción 9
2 parada de autobús 9
3 albaricoque 11
4 ausente 1
5 aceptar 12 ,15, 21
6 accesorio 5, 17
7 acompañar v 21
8 de acuerdo 21
9 comprar 13, 15
10 actor/-triz 3, 22
11 actividad 10, 19, 21
12 cuenta 23
13 admitido/-a 16
14 adorar 22
15 cartel 14, 22
16 edad 6
17 (persona) mayor 6
18 agencia (inmobiliaria) 13
19 agente 9
20 cordero 11, 12, 23
21 agradable 18
22 agricultor/-a 3
23 ayudar
24 hermano/-a mayor 7
25 tomar el aire 19
26 añadir 11
27 alimento 11
28 alimentación 11
29 alemán/-mana 3
30 estar 2, ir 8, 21
31 combinar (con) 15
32 ida 9
33 ida y vuelta 9
34 estilo 6
35 disponer los muebles 14
36 multa 9
37 venir con 21
38 estadounidense (americano/-a) 3
39 amigo/-a 20
40 enamorado/-a 20
41 divertirse 19, 20, 22
42 año 4, 20
43 piña 11
44 antiguo/-a 13, 14
45 inglés/-sa 3
46 en el cruce (de ... y de ...) 8
47 animado/-a 13
48 año 4
49 cumpleaños 4, 20, 21
50 anual 9
51 agosto 4
52 aperitivo 21
53 apariencia 6
54 apartamento 13
55 aplaudir 22
56 traer 21
57 aprender 1, 16
58 después 8
59 pasado mañana 4
60 tarde 4
61 arbitro 17
62 arco iris 18
63 arquitecto 3
64 arquitectura 3
65 plateado/-a 5
66 armario de pared para baño 14
67 armario 14
68 parada 8, 9
69 hacia atrás/retroceder 8
70 bisabuela 7
71 bisabuelo 7
72 llegar 4
73 artículo 15
74 artes plásticas 16
75 ascensor 13
76 aspirador 10
77 condimento 11
78 plato 10, 11, 23
79 asistir (a) 22
80 taller 3, 13
81 alcanzar 18
82 esperar 9
83 albergue 23
84 berenjena 11
85 debajo 15
86 encima 15
87 hoy 4
88 otoño 4
89 autopista 8
90 con adelanto 22
91 antes de la hora 10
92 antes 8
93 antesdeayer 4
94 avenida 8
95 aguacero 18
96 abogado/-a 3
97 abril 4
98 bachillerato 16
99 bachiller 16
100 equipaje 9
101 barra de pan 12
102 bañera 10, 14
103 (tomar un) baño 10, 10
104 bajar 18
105 baile 20
106 escoba 10
107 barrer 10
108 balcón 13
109 pelota 17
110 ballet 22
111 balón 17
112 plátano 11, 12
113 afueras 9
114 banco 3
115 bar 3, 22
116 barba 6
117 bajo/-a 18
118 baloncesto 17
119 zapatilla de deporte 5
120 charlar 10
121 buen 6, (tiempo, día) 18 • buen tiempo 18
122 nuero 7
123 beige 5
124 belga 3
125 nuera 7
126 mantequilla 11, 12
127 biblioteca 8, 14, 16
128 hasta pronto 2
129 cerveza 23
130 billete 9
131 blanco/-a 5
132 azul 5, 18
133 rubio/-a 6
134 cazadora 5, 17
135 buey 11, 12, 23
136 beber 20
137 madera 14
138 bebida 12, 23
139 lata 12, discoteca 22
140 bol 11
141 buen/-a 20 • bueno 18
142 hola 2
143 barato 12
144 buenas noches 2
145 al borde de 8
146 teléfono situado en las paradas de taxis 9
147 bota 15
148 boca 6
149 carnicero/-a 12
150 carnicería 12
151 vela 20
152 panadero/-a 12
153 panadería 12
154 bola nf 20
155 bulevar 8
156 al final de 8
157 botella 12, 21, 23
158 boutique 15
159 cervecería 23
160 patente 16
161 bricolaje 13, 19
162 hacer bricolaje 13, 19
163 brillar 18
164 cepillarse 10 (cepillar)
165 niebla 18
166 moreno/-a 6
167 ruidoso/-a 13
168 bûche de Noël (pastel en forma de leño típico de Navidad) 20
169 bufete 14
170 mesa de despacho 1, 14, oficina 3, 10, despacho 13
171 autobús 9, 10
172 portería 17
173 cabaré 3
174 probador 15
175 consulta del médico 3
176 clínica dental 3
177 regalo 21, 20
178 bar 3, 10, 22, 23, café 10, 12, 22, 23
179 cafetería 16
180 cuaderno 1
181 cajero/-a 3
182 calendario 4
183 calma 13
184 campo 3, 13, 17, 19, 21
185 canadiense 3
186 canapé 14
187 pato 12, 23
188 cantina 16
189 jarra 23
190 abono de 10 billetes 9
191 zanahoria 11, 12
192 cuadrado 10
193 cruce 8
194 carta 19, 23
195 tarjeta (bancaria) 12, 15
196 carta loc 23
197 tarjeta de invitación 21
198 gorra 5
199 cazuela 11
200 cinta 1
201 bodega 13
202 CD 1
203 cinturón 5
204 soltero/-a 7
205 centro comercial 8
206 cereal 12
207 cereza 11
208 cadena de música 14
209 silla 1, 14
210 habitación 10, 13, 14
211 campeón/-peona 17
212 cambio 9
213 cambiar 9, cambiarse 10, cambiar (los muebles de sitio) 14
214 cantante 3, 22
215 sombrero 5
216 charcutería 12, 23
217 charcutero/-a 12
218 llenar el lavavajillas 10
219 carga 13
220 castaño 6
221 castillo 19, 22
222 calor 18
223 calefacción 13
224 calentar 11
225 taxista, chófer, conductor 9
226 calzarse v 10
227 calcetín 5
228 zapato 5, 15, zapatilla de deporte 17
229 calvo 6
230 director de orquesta 22
231 camino 8, 17
232 chimenea 13
233 camisa 5
234 blusa 5
235 cheque 12, 15
236 caro/-a 9, 15, 23
237 buscar 8, 15
238 cabello 6, 10
239 chino/-a 3
240 chocolate 12, bombones 20, 21
241 elegir 15, 22, 23
242 coreógrafo 22
243 berza 11
244 cielo 18
245 cementerio 20
246 cine 3, 8, 19, 21, 22
247 cinemateca 22
248 circular 9
249 circo 19
250 limón 11
251 amarillo limón 5
252 claro/-a 5, 6, 18
253 aula 1, 16
254 clase preparatoria (para las grandes écoles francesas) 16
255 clásico/-a 14, 15
256 cliente/-a 12
257 clínica 3
258 cóctel 21
259 olla 11
260 peinarse 10
261 peluquero/-a 3
262 en la esquina de 8
263 colectivo/-a 17
264 colegio 3, 16
265 colegial/-a 16
266 colombiano/-a 3
267 actor/-triz 3, 22
268 pedir 23
269 comisaría 8
270 cómoda 14
271 competición, (competir) 17
272 complicado/-a 9
273 ingredientes 23
274 introducir el billete en una máquina validadora 9
275 comprender 1
276 comprimido 12
277 incluido/-a 13, 23
278 contable 3
279 cuenta 3
280 contador 9
281 concierto 21, 22
282 prueba de acceso 16
283 pareja 7
284 conducir 10
285 conferenciante 22
286 confitura 12

287 cómodo/-a 9
288 congelador 11, 14
289 lata de conservas 12
290 continuar 8
291 controlar 9
292 revisor 9
293 corpulencia 6
294 corrección 1
295 cambio de estación 9
296 corregir 1
297 traje 5
298 al lado de 8
299 costa 11, 12
300 chuletilla 11, 12
301 algodón 5, 15
302 acostarse 10
303 color 5, 15
304 pasillo 13
305 cortar 11
306 patio 13
307 patio de recreo 16
308 calabacín 11
309 correr 17, 19
310 clase 16
311 cours élémentaire (de los 7 a los 8 años) 16
312 cours moyen (de los 9 a los 10 años) 16
313 cours préparatoire (6 años) 16
314 carrera 9, 17, compra 10, 12
315 hacer compras 10, 19
316 campo de tenis 17
317 corto/-a 5, 6 ,15
318 primo/-a 7
319 cuchillo 11
320 costar 12, 15
321 cubierto 10
322 cubierto/-a 18
323 cangrejo 11
324 tiza 1
325 corbata 5
326 lápiz 1
327 crema 12, flan 23
328 nata 11, 12
329 lechería 12
330 lechero/-a 12
331 gamba 11, 12
332 crítico 22
333 cruasán 12
334 ensalada 23
335 cuchara 11
336 cucharada 11
337 cuero 5, 15
338 cocer 11
339 cocina (cocinar) 10, 11, 13, 14,19
340 cocina 11, 14
341 cocción 23
342 hecho/-o 23
343 ante 15
344 danés/-nesa 3
345 bailar 20, 22
346 bailarín/-rina 3, 22
347 fecha 4
348 quitar la mesa 10
349 diciembre 4
350 casual 15
351 decorar 14, 20
352 despejado 18
353 grado 18
354 fuera 19
355 comida 10, 19, 21, 22, 23
356 delicioso/-a 12, 23
357 mañana 4
358 pedir 1, 15, 23
359 mudarse 13
360 y media 4
361 hermanastro 7
362 hermanastra 7
363 diente 6, 10
364 dental 3
365 pasta de dientes 12
366 dentista 3
367 departamental 8
368 superar 18
369 darse prisa 10
370 desplazarse 9
371 último/-a 4, 13
372 detrás 8
373 bajar 9
374 desnudarse 10
375 desear 12, 15
376 perdone/disculpe 2, 21
377 postre 21, 23
378 dibujo 1
379 dibujante 3
380 relajarse 10, 13
381 detestar 22
382 biquini 13
383 delante 8
384 deber 1, 16
385 deber 12
386 diálogo 1
387 domingo 4
388 pavo 20
389 cena 10, 21, cenar 19, 22, 23
390 directo/-a 9
391 director/-a 3, 16
392 dirección 9
393 discoteca 10, 22
394 disputar 17
395 distribuidor (automático) 9
396 divorciado/-a 7
397 divorciarse 7
398 doctorado 16
399 centro de documentación 16
400 domésticas (tareas) 10
401 domicilio 20
402 qué pena 21
403 responder 1
404 dorado/-a 5
405 dormir 10, 13
406 ducha 10, 14
407 darse una ducha 10
408 lento 11 • hace un tiempo agradable, templado 18
409 docena 12
410 todo recto 8
411 a la derecha de 8
412 duro/-a 12
413 agua 12
414 agua mineral 23
415 bufanda 5
416 escampada 18
417 estallar 18
418 párvulos 16
419 primaria 16
420 escuela 3, 8, 10, 16
421 colegial/-a 16
422 económico 9
423 escuchar 1, 10, 19, 22
424 escribir 1
425 educación física 16
426 iglesia 8, 19, 20, 22
427 ensanchar 15
428 electricidad 13
429 alumno 1, 16
430 elevado/-a 18
431 atasco 19
432 besarse 20
433 instalarse (en un apartamento) 13
434 agenda 16
435 empleado/-a 3
436 dormirse 10
437 niño 7
438 aburrirse 19
439 aburrido/-a 22
440 profesor /-a 16
441 enseñanza 16
442 enseñar 3, 16
443 conjunto 5
444 soleado/-a 18
445 entreacto 22
446 entrenarse 17
447 entre ... y 8
448 entrada 13, 23
449 empresa 3
450 entrevista 12, 13
451 enviar 20, 21
452 espeso/-a 6
453 deletrear 1
454 especia 11
455 especiado/-a 23
456 tienda de comestibles 12
457 tendero/-a 12
458 pelar 11
459 estropajo 12
460 examen 16
461 equipo 17
462 equipada (cocina) 13
463 equipamiento 11, 14
464 escalera 13
465 escalope 11
466 español/-a 3
467 en metálico 15
468 intentar 15
469 enjuagar 10
470 piso 13
471 estantería 14
472 verano 4
473 tender 10
474 estrecho/-a 5, 15
475 oficina de proyectos 3
476 estudios 16
477 estudiante 1, 3, 16
478 estudiar 3, 10, 16
479 europeo/-a 3
480 fregadera 11, 14
481 examen 16, 20
482 excelente 21, 22, 23
483 exclusividad 22
484 excusarse 2
485 ejercicio 1
486 existir 15
487 explicación 1
488 explicar 1
489 exposición 19, 21, 22
490 facultad 16
491 en frente 8
492 fácil 9
493 usar (talla) 15, dar un aire (juvenil, ...)(estilo) 15, costar (precio) 15, hacer 18
494 parte 20
495 hacía falta (no –) [hacer falta] 21
496 familiar 20
497 familia 7, 19, 20
498 harina 12
499 hace falta [hacer falta] 8
500 sillón 14
501 mujer 7
502 ventana 13
503 plancha 10
504 festivo/-a 20
505 granja 3
506 cerrar 1
507 fiesta 20
508 fuego 11
509 semáforo (rojo) 8
510 fuegos artificiales 20
511 febrero 4
512 red 17
513 chica 7
514 película 19, 22
515 hijo 7
516 final 8
517 fino/-a 6
518 acabado/-a 1
519 acabar 1
520 flor 21
521 oscuro/-a 5
522 funcional 13
523 fútbol 17
524 forma 21
525 corpulento/-a 6, mucho 18 • alto 1
526 fular
527 horno 11, 14
528 horno microondas 11, 14
529 tenedor 11
530 comisión (bancaria) 13
531 fresco/-a 12, 23 • fresco 18
532 fresa 11
533 rojo frambuesa 5
534 francés/-cesa 3
535 hermano 7
536 rizado/-a 6
537 patata frita 23
538 frío adv 18
539 queso 11, 12, 25
540 fruta 11, 12
541 marisco 11, 12, 23
542 ganar 17
543 guante 5
544 garaje 13
545 guardián/-diana 3, 13
546 estación 8, 9
547 acompañamiento 23
548 pastel 12, 20, 23
549 izquierda (a la – de) 8
550 con gas 23
551 helar 18
552 cuñado 7
553 amable 21
554 geografía 16
555 pierna de cordero 11, 12
556 chaleco/chaqueta 5
557 espejo 14, helado 23
558 goma 1
559 gota 11, 12
560 grande 5, 6, 15
561 abuela 7
562 abuelo 7
563 abuelos 7
564 graso/-a 23
565 grave 2
566 griego/-ga 3
567 granero 13
568 gris 5, 18
569 gordo/-a 6
570 grupo 1
571 ventanilla 9
572 guía 22
573 guirnalda 20
574 gimnasio 16, 17
575 gimnasia 17
576 vestido/-a 15
577 vestirse 10
578 vivir 13
579 balonmano 17
580 judía (verde) 11, 12, 23
581 semanario 4, semanal 9
582 hierbas (de Provenza) 11
583 hora 4
584 hora punta 9
585 pronto 10
586 ayer 4
587 historia 16
588 invierno 4
589 bogavante 11
590 hospital 3
591 horario 4
592 aceite 11
593 ostra 11
594 higiene 12
595 idea 21
596 edificio 13
597 indicación 8

598 indicar 8
599 individual 17
600 malísimo/-a 23
601 enfermero/-a 3
602 informático/-a 3
603 ingeniero 3
604 instalar 14
605 institutor/-triz 16
606 interesante 22
607 interés 22
608 invitación 21
609 invitar 19, 20, 21
610 italiano/-a 3
611 itinerario 8
612 jamón 11, 12
613 enero 4
614 japonés/-nesa 3
615 jardín, (trabajar en el) jardín 13, 19
616 jardín público
617 jardinería 13, 19
618 trabajar en el jardín 13, 19
619 amarillo 5
620 juego 17
621 jueves 4
622 joven 6, 15
623 bonito/-a 6
624 actuar 13, 16, 17, 19, 22
625 jugador/-a 17
626 día 4
627 periódico 3, 22
628 periodista 3
629 día 4, 18
630 alegre 20
631 julio 4
632 junio 4
633 gemelo/-a 7
634 falda 5
635 zumo 12
636 hasta 8
637 kilo 6, 12
638 lago 17
639 feo/-a 6
640 lana 5, 15
641 leche 11, 12
642 lechero/-a 11
643 lámpara 14
644 idioma 16
645 ancho/-a
646 latín 16
647 lavabo 10, 14
648 lavadora 14
649 lavar 10, 11
650 lavarse 10
651 lavavajillas 10, 14
652 lección 1, 16
653 reproductor de cintas de audio 1
654 lector de DVD 14
655 ligero/-a 23
656 verdura 11, 12, 23
657 lento/-a 9
658 ropa 10, jabón 12
659 letra 1, carta 21
660 levantarse 10, 18
661 libre 21
662 licenciatura 16
663 línea 9
664 lino 5
665 ropa 10
666 leer 1, 10, 13, 16, 19
667 cama 10
668 litro 12
669 libra 12
670 libro 1
671 inquilino 13
672 alojamiento 13
673 lejos de 8
674 largo/-a 5, 6, 15
675 pasar al lado de 8
676 alquilar 13
677 pesado/-a 23
• bochorno 18
678 alquiler 13
679 lunes 4
680 gafas 6, – (de sol) 5
681 instituto 3, 8, 16
682 alumno/-a 16
683 lavadora 14
684 lavavajillas 14
685 señora 2
686 señorita 2
687 tienda 3, 8, 12, 15
688 revista 19
689 magnífico/-a 6
690 mayo 4
691 flaco/-a 6
692 maillot 17
693 ayuntamiento 8
694 casa 13, 19, 21
695 maestro/-a 16
696 bastante bien 2
697 desgraciadamente 21
698 de Malí 3
699 comer 10, 20
700 abrigo 5
701 manual 1
702 maquillar(se) 10
703 comerciante 12
704 marcha 17
705 mercado 10, 19
706 andar 19
707 martes 4
708 marido 7
709 boda 7, 20, 21
710 casado/-a 7
711 casar(se) 7
712 marcador fluorescente 1
713 marrón 5
714 castaña 20
715 marzo 4
716 master 16
717 moreno/-a 6
718 partido 17
719 matemáticas 16
720 materia 5, 14, 15, 16
721 mañana 4, 10
722 mañana 10
723 levantarse tarde 10, 19
724 malo/-a 18, 19, 22
• mal tiempo 18
725 médico 3
726 médico/-a 3
727 medicamento 12
728 mezclar 11
729 limpieza 10
730 doméstico/-a 11
731 mensual 4, 9, 13
732 menú 23
733 mar 17, 21
734 gracias 2
735 miércoles 4
736 madre 7
737 medir 6
738 metal 14
739 meteorología 18
740 oficio 3
741 metro 6
742 metro 9, 10
743 director de cine 22
744 mueble 14
745 mejicano/-a 3
746 mediodía 4
747 media melena 6
748 delgado/-a 6
749 medianoche 4
750 minuto 4
751 espejo 14
752 puesta en escena 22
753 mocasín 15
754 moda 3, 15
755 modelo 15
756 moderno/-a 13,14
757 menos 18
758 mes 4
759 moneda 12
760 señor 2
761 montaña 17, 21
762 subir 9
763 monumento 19, 22
764 muerto/-a 7
765 palabra 1
766 mejillón 23
767 mousse de chocolate 23
768 bigote 6
769 cordero 12, 23
770 medio/-a 6, 11
771 muguete 20
772 pared 13
773 maduro/-a 12
774 museo 3, 8, 19, 22
775 músico/-a 22
776 música 16, 19, 20, 22
777 nadar 17
778 nacimiento 20, 21
779 natación 17
780 nacional 8, 20
781 nacionalidad 3
782 natural 14
783 servicio de autobús entre dos estaciones 9
784 navegar 17
785 nacido/-a 4
786 negativo/-a 22
787 nieve 18
788 nevar 18
789 limpiar 10, 11
790 sobrino 7
791 nariz 6
792 sobrina 7
793 negro/-a 5
794 noruego/-a 3
795 noviembre 4
796 nube 18
797 nuboso/-a 18
798 matiz 5
799 noches 2, 4, 10
800 azul noche 5
801 nulo/-a 22
802 obligatorio 16
803 observar 1
804 ocuparse 19
805 octubre 4
806 ojo 6
807 huevo 20
808 regalarse 20
809 cebolla 11
810 sombra 18
811 tortilla 23
812 tío 7
813 ópera 3, 19, 22
814 tormenta 18
815 tormentoso/-a 18
816 naranja 5
817 naranja 11
818 oreja 6
819 obrero/-a 3
820 abrir 1
821 ovalado/-a 6
822 registrado como pareja de hecho 7
823 registrarse como pareja de hecho 7
824 página 1
825 pan 12
826 par 5, 15
827 pomelo 11
828 cesta 17
829 pantalón 5, 15
830 papel pintado 13
831 paquete 12
832 parque 8
833 ¡perdón! 2
834 padres 7
835 parking 3, 13
836 hablar 1
837 porción 12
838 partida 19
839 salir 4
840 pasajero/-a 9
841 pasar 8, 19
842 examinarse 16
843 apasionante 22
844 colador 11
845 pastilla 12
846 pasta 12, 23
847 paté 12
848 pastelería 12, 23
849 pastelero/-a 12
850 pagar 12, 13, 15
851 país 3
852 piel 6
853 pesca 11, 12
854 pintar 13
855 pintado/-a 13
856 pintor/-a 3
857 pintura 13, 19, 22
858 interno/-a 16
859 pensionado 16
860 perder 17
861 perdido/-a 8
862 padre 7
863 Papá Noel 20
864 estudio 16
865 pesar 6
866 pequeño/-a 5, 6, 15
867 desayuno 10
868 nieta 7
869 nieto 7
870 farmacia 3, 12
871 farmacéutico/-a 3, 12
872 foto, fotografía 1, 14, 19, 22
873 fotógrafo 3
874 frase 1
875 físico/-a 6
876 obra (de teatro) 19, 22
877 habitación 13
878 a pie 8
879 pizca 11
880 piscina 8, 17
881 pista 17
882 armario 14
883 plaza 8, entrada 22
884 colocar 22
885 techo 13
886 es un placer 2, 21
887 agradar 21
888 placa eléctrica 11
889 pequeño bloque (de mantequilla) 12
890 plástico 14
891 plato 11, 12, 23
892 plato de carne o pescado con un acompañamiento 23
893 plano/-a 23
894 llover 18
895 fontanería 13
896 fontanero 3
897 lluvia 18
898 lluvioso/-a 18
899 sartén 11
900 puñado 11
901 en su punto 23
902 talla de zapato 15
903 pera 11
904 puerro 11
905 guisante 11, 23
906 pescado 11, 12, 23
907 pescadería 12
908 pescadero/-a 12
909 pimienta 11
910 buena educación 2
911 manzana 11, 12
912 patata 11, 12, 23
913 puente 8

914 cerdo 11, 12, 23
915 puerta 13
916 amuleto 20
917 portugués/-guesa 3
918 posar 14
919 hacer (una pregunta) 1
920 posible 21, 22
921 puesto 8
922 tiesto 12
923 pollo 11, 12, 23
924 propina 22, 23
925 polvo 10
926 práctico/-a 9
927 practicar 17
928 tomar v 1, 8, 9, 15
929 preparar 1, 10, 16
930 prepararse 10
931 cerca de 8
932 rogar (le ruego) 2
933 primeras frutas o verduras de la temporada 12
934 principal 13
935 primavera 4
936 bajada de Bandera 9
937 precio 9, 15
938 próximo/-a 4
939 producto 11
940 profe, profesor 1, 3, 16
941 profesión 3
942 programa 22
943 paseo 19, 21
944 pasear(se) 19
945 proponer 21, 22
946 limpio 9
947 propietario/-a 13
948 director/-a de un instituto de enseñanza media 16
949 jersey 5
950 andén 9
951 cuarto 4
952 barrio 13, 19, 22
953 pregunta 1
954 cola (hacer -) 19, 22
955 periódico 4
956 diario/-a 10
957 radiador 13
958 radio 3
959 uva 11
960 excursión 17
961 recoger 10,14
962 rápido/-a 9
963 raqueta 17
964 afeitar(se) 10
965 suspender 16
966 sección 18
967 realizador/-a 22
968 reciente 13
969 recepcionista 3
970 receta 11
971 recibir 19, 20
972 aprobado/-a 16
973 volver a bajar 8
974 repetir 16
975 reflexionar 15
976 frigorífico 11, 14
977 rehusar 21
978 mirar 1, 10, 19
979 regla 1
980 arrepentirse 21
981 notable 22
982 agradecer 2, 21
983 subir 8
984 obtener 17
985 cita 10
986 comida 10, 20, 23
987 planchar 10
988 repetir 1
989 responder 1
990 respuesta 1
991 descansar 10, 19
992 tren rápido de cercanías 9
993 reservar 22
994 residencia 3
995 restaurante 3, 10, 19, 21, 22, 23
996 quedarse 19
997 resultado 16
998 tarde 10
999 retroceder 8
1000 encoger 15
1001 encontrarse 21
1002 reunirse 20
1003 aprobar 16
1004 despertarse 10
1005 Nochevieja/-buena 20
1006 celebrar la Nochevieja/ -buena 20
1007 volver 8
1008 adiós 2
1009 planta baja 13
1010 cortina 14
1011 de nada, no es nada 2
1012 reír 20
1013 río 8
1014 arroz 12, 23
1015 vestido 5
1016 grifo 11, 14
1017 redondo/-a 6
1018 rosbif 11
1019 rosa 5
1020 asado 11, 12
1021 asar 11
1022 rojo 5
1023 carretera 8
1024 pelirrojo/-a 6
1025 calle 8
1026 rústico/-a 14
1027 bolso 5, 12
1028 sangrante 23
1029 santo/-a 20
1030 temporada 4
1031 ensalada (mixta) 23
1032 ensalada (lechuga, escarola, ...) 11
1033 ensaladera 11
1034 sucio/-a 9
1035 salado/-a 23
1036 sala (de estudios) 16, comedor 23
1037 comedor 13, 14
1038 cuarto de baño 10, 13, 14
1039 sala nf, salón 13
1040 salón 13, 14
1041 peluquería 3
1042 salón de té 22
1043 hola 2
1044 sábado 4
1045 sandalia 5
1046 bocadillo 25
1047 árbol de Navidad 20
1048 sardina 12,23
1049 salchicha 12
1050 salchichón 12
1051 salmón 11, 12, 23
1052 jabón 12
1053 ciencias naturales 16
1054 escolar 16
1055 escultura 19, 22
1056 secar 10
1057 segundo 4
1058 secretaría 3
1059 sala, sala de estar 13
1060 sal 11
1061 semana 4
1062 semestre 4
1063 semestral 4
1064 sendero 17
1065 parecer 15
1066 septiembre 4
1067 apretado/-a 5, 15
1068 camarero/-a 3, 23
1069 servido/-a 23
1070 servicio 23
1071 servir 10, 12
1072 solo/-a 1
1073 pantalón corto 5, 17
1074 siglo 4
1075 hacer la siesta 19
1076 por favor 2
1077 sencillo/-a 9
1078 jarabe 12
1079 esquí 17
1080 esquiar 17
1081 hermana 7
1082 seda 5, 15
1083 noche 4
1084 noche 2, 4, 10, 21
1085 sesenta años 6
1086 sol 10, 13
1087 rebajas 15
1088 lenguado 11, 12, 23
1089 sol 18
1090 sorbete 23
1091 salida 21, 22
1092 salir 10
1093 soplar 18, 20
1094 desear 20
1095 sopa 23
1096 gris ratón 5
1097 planta baja 13
1098 espectáculo 22
1099 espectador/-a 22
1100 deporte 15, 16, 17, 19
1101 deportista 17
1102 estadio 8, 16, 17
1103 telefonista 3
1104 parada 8, 9
1105 filete nm 11, 12
1106 estructura nf 13
1107 apartamento de una sola habitación 3, 13
1108 estilo 14, 15
1109 estilista 3
1110 bolígrafo 1
1111 azúcar 11, 12
1112 azucarado/-a 12, 23
1113 suizo/-a 3
1114 ver 17
1115 asistir a una clase 16
1116 precioso/-a 6
1117 superior 16
1118 supermercado 3, 10
1119 suplemento 9
1120 seguro/-a 15
1121 vigilante 16
1122 chándal 17
1123 jersey de chándal 17
1124 mesa 1, 14, 23
1125 mesa baja 14
1126 poner la mesa 10
1127 cuadro 1, 14
1128 tableta de chocolate 12
1129 pecas 6
1130 talla 6, 15
1131 traje sastre 5
1132 zapatos de tacón 5
1133 tía 7
1134 alfombra 14
1135 tarde 10
1136 tarifa 9
1137 tarta 12, 23
1138 taxi 9, 10
1139 tez 6
1140 llamar por teléfono 21
1141 televisión 1, 3, 14, 19
1142 temperatura 18
1143 tormenta 18
1144 tiempo 4, 18, 19
1145 tierno/-a 12
1146 zapatillas de deporte 15, baloncesto 17, 19
1147 2º de Bachillerato 16
1148 estación terminal 9
1149 campo de deporte 17
1150 terraza 13, 23
1151 en el suelo 10
1152 cabeza de estación 9
1153 texto 1
1154 té 10,22
1155 teatro 3, 8, 10, 19, 21, 22
1156 ticket 9
1157 tela 5
1158 billete 9
1159 WC 13, 14
1160 techo 13
1161 tomate 11, 12
1162 tumba 20
1163 pronto 10
1164 girar 8
1165 tren 9
1166 tranvía 9
1167 rebanada, loncha 12
1168 tranquilo/-a 13
1169 transporte 9
1170 transporte público 9
1171 trabajo 3, 10
1172 trabajar 1, 3 ,10, 13
1173 atravesar 8
1174 trimestre 4
1175 trimestral 4
1176 triste 20
1177 encontrarse 8
1178 trucha 23
1179 camiseta 5, 17
1180 tubo 12
1181 azul turquesa 5
1182 universitario/-a 23
1183 universidad 3, 8, 16
1184 urbano/-a 9
1185 fábrica 3
1186 utensilio 11
1187 vajilla 10, 11
1188 ternera 11, 23
1189 bicicleta 17
1190 vendedor/-a 3, 12, 15
1191 viernes 4
1192 venir 3, 21
1193 viento 18
1194 cristal 10, 11, 14, 23
1195 tomar una copa 21, 22
1196 verter 11
1197 verde 5
1198 chaqueta de traje 5
1199 prenda 5, 15, 17
1200 viudo/-a 7
1201 carne 11, 12, 23
1202 victoria 17
1203 vida 3
1204 viejo/-a 13
1205 vivo/-a 5, 11
1206 feo/-a 6
1207 pueblo 8, 13
1208 ciudad 8, 13, 19
1209 vino 12, 20, 21, 23
1210 vinagre 11
1211 veintena 6
1212 violeta 5
1213 cara 6
1214 visita 21
1215 hacer una visita a 19, 20
1216 visitar 19, 22
1217 rápido 1, 9
1218 ventana 10
1219 escaparate 15
1220 vivir 13
1221 vela 17
1222 vecino/-a 1
1223 coche 10, en coche 8
1224 ave 12
1225 voleibol 17
1226 con mucho gusto 2
1227 querer v 2
1228 viajero/-a n 9
1229 bicicleta de montaña nm 17
1230 WC 13, 14
1231 fin de semana 2, 19, 21
1232 yogur 11, 12

词汇表

本词汇表按字母顺序排列，列入了本教材词汇解释部分的主要单词。

285 报告人, 主讲人 22
286 果酱 12
287 舒适的 9
288 冷冻机 11, 14
289 罐头 12
290 继续 8
291 检查 9
292 查票员 9
293 肥胖 6
294 修改 1
295 换车 9
296 修改 1
297 成套男士西服 5
298 在...边上 8
299 排骨 11, 12
300 小排骨 11, 12
301 棉布 5, 15
302 躺下 10
303 颜色 5, 15
304 通道, 走廊 13
305 切 11
306 院子 13
307 操场 16
308 小西葫芦 11
309 跑步 17, 19
310 课 16
311 初级班 16
312 中级班 16
313 预备班 16
314 路程 9, 购物 10, 12, 跑步 17
315 购物 10, 19
316 网球场 17
317 短的 5, 6 , 15
318 表(堂)兄弟, 表(堂)姐妹 7
319 刀 11
320 值, 价钱为... 12, 15
321 餐具 10
322 阴天 18
323 蟹 11
324 粉笔 1
325 领带 5
326 铅笔 1
327 霜, 膏 12, 奶油 23
328 鲜奶油 11, 12
329 乳品商店 12
330 乳品商 12
331 虾 11, 12
332 评论 22
333 羊角面包 12
334 生的食品 23
335 勺, 调羹 11
336 一勺的容量 11
337 皮革 5, 15
338 煮 11
339 烹饪 10, 伙食 11, 厨房 13, 14, 19
340 炉灶 11, 14
341 烧, 煮 23
342 煮, (烧熟) 23
343 鹿皮 15
344 丹麦的, 丹麦人 3
345 跳舞 20, 22
346 舞蹈演员 3, 22
347 日期 4
348 收拾, 清理 10
349 十二月 4
350 宽松的, 休闲的 15
351 装饰 14, 20
352 晴朗的 18
353 度 18
354 外面 19
355 午餐, 进午餐 10, 19, 21, 22, 23
356 可口的, 美味的 12, 23
357 明天 4
358 要求 1, 15, 23
359 搬家 13
360 一半 4
361 异父或异母兄弟 7
362 异父或异母姐妹 7
363 牙齿 6, 10
364 牙的, 牙医的 3
365 牙膏 12
366 牙医 3
367 省(级)的 8
368 超过 18
369 赶紧 10
370 出门 9
371 上一个 4, 最高的 13
372 在后面 8
373 下 9
374 脱衣服 10
375 想要 12, 15
376 抱歉 2, 21
377 餐后点心 21, 23
378 图画, 素描 1
379 素描画家, 绘图员 3
380 放松, 休息 10, 13
381 讨厌 22
382 两居室 13
383 前面 8
384 作业1, 16
385 欠, 该 12
386 对话 1
387 星期天 4
388 火鸡 20
389 晚餐, 吃晚饭 10, 19, 21, 22, 23
390 直达的 9
391 长, 校长 3, 校长 16
392 方向 9
393 迪斯科舞厅 10, 22
394 举行(比赛) 17
395 自动销售机 9
396 离了婚的 7
397 离婚 7
398 博士学位 16
399 资料(中心) 16
400 家务的 10
401 住所 20
402 真遗憾 21
403 给(答复) 1
404 金黄色的 5
405 睡觉 10, 13
406 淋浴, 淋浴器 10, 淋浴器 14
407 洗淋浴 10
408 柔和的 11 • 暖和 18
409 一打, 十二个 12
410 一直往前 8
411 在...右边 8
412 硬的 12
413 水 12
414 矿泉水 23
415 披肩, 长围巾 5
416 一角晴天 18
417 突然发生 18
418 幼儿园 16
419 小学 16
420 学校 3, 8, 10, 16
421 小学生 16
422 省钱的, 便宜的 9
423 听 1, 10, 19, 22
424 写 1
425 体育 16
426 教堂 8, 19, 20, 22
427 变宽 15
428 电 13
429 学生, 小学生 1, 16
430 高的 18
431 交通堵塞, 塞车 19
432 拥抱 20
433 迁入新居 13
434 时间安排 16
435 职员, 雇员 3
436 入睡, 睡着 10
437 孩子 7
438 感到无聊, 感到厌倦 19
439 令人烦恼的, 令人厌倦的 22
440 教员 16
441 教学 16
442 教课, 教 3, 16
443 女士套装 5
444 充满阳光 18
445 幕间休息 22
446 训练, 17
447 在...之间 8
448 门厅13, 头盘(菜) 23
449 企业 3
450 维修, 保养 12, 13
451 寄 20, 21
452 厚的 6
453 拼读 1
454 调味品, 香料 11
455 辛辣的 23
456 食品杂货店 12
457 食品杂货商 12
458 剥皮, 削皮 11
459 海绵 12
460 考试, 测验 16
461 队 17
462 配置好的(厨房) 13
463 设备, 装备 11, 14
464 楼梯 13
465 肉片 11
466 西班牙的, 西班牙人 3
467 用现金 15
468 试 15
469 擦, 擦干 10
470 层 13
471 搁物架 14
472 夏天 4
473 撑开晾 10
474 绷紧的 5, 15
475 设计室 3
476 学业 16
477 大学生 1, 3, 16
478 学习 3, 10, 16
479 欧洲的, 欧洲人 3
480 洗衣槽 11, 14
481 考试 16, 20
482 极好的 21, 23, 优秀的 22
483 专有放映权 22
484 表示歉意 2
485 练习 1
486 存在, 有 15
487 解释 1
488 解释, 讲解 1
489 展览 19, 21, 22
490 学院 16
491 在对面 8
492 容易的 9
493 穿...号(衣服和鞋等) 15, 显得(年轻) 15, 要(多少钱) 15, 天气(晴朗) 18
494 通知 20
495 不该破费 21
496 家庭的 20
497 家庭 7, 19, 20
498 面粉 12
499 应该, 必须 8
500 扶手椅 14
501 妻子 7
502 窗子 13
503 熨斗 10
504 放假的, 休息的 20
505 农场, 农庄 3
506 合上, 关上 1
507 节日 20
508 火 11
509 (红)灯 8
510 焰火 20
511 二月 4
512 球网 17
513 女儿, 女孩 7
514 电影 19, 22
515 儿子 7
516 尽头 8
517 细的 6
518 完成的, 结束的 1
519 完成, 结束 1
520 花 21
521 深色的 5
522 实用的, 功能性的 13
523 足球 17
524 正式的 21
525 的, 大的 6, 大的 18 • 用力地, 大声地 1
526 头巾 5
527 烤炉, 烤箱 11
528 微波炉 11, 14
529 叉子 11
530 代理商费用, 代理行开支 13
531 新鲜的 12, 23 • 凉快 18
532 草莓 11
533 覆盆子红 5
534 法国的, 法国人 3
535 兄弟 7
536 卷曲的 6
537 油炸土豆条 23
538 冷 18
539 干酪, 奶酪 11, 12, 25
540 水果 11, 12
541 海鲜, 海产品 11, 12, 23
542 赢, 获胜 17
543 手套 5
544 车库 13
545 守门人 3, 13
546 火车站 8, 9
547 配菜 23
548 蛋糕, 点心 12, 20, 23
549 在...左边 8
550 带气的 23
551 结冰 18
552 女婿 7
553 客气 21
554 地理 16
555 羊腿 11, 12
556 背心 5
557 镜子 14, 冰激凌 23
558 橡皮 &
559 滴剂 12, 滴 11
560 大的5, 6, 15
561 祖母, 外祖母 7
562 祖父, 外祖父 7
563 祖父母, 外祖父母 7
564 油腻的 23
565 严重的 2
566 希腊的, 希腊人 3
567 顶楼, 阁楼 13
568 灰色的 5, 18
569 胖的, 肥的 6
570 小组 1
571 售票口 9
572 导游 22
573 花彩, 花饰 20
574 健身房, 体操房 16, 17
575 体操 17
576 穿着漂亮 15
577 穿衣服 10
578 住 13
579 手球 17
580 扁豆 11, 12, 23
581 每周的 9, 周刊 4
582 一种香辛蔬菜 11
583 小时 4
584 高峰时期 9
585 大清早, 一早 10
586 昨天 4
587 历史 16
588 冬天 4
589 龙虾 11
590 医院 3
591 时间表 4
592 油 11
593 牡蛎, 蚝 11
594 卫生 12
595 想法 21
596 房屋, 楼房 13
597 指示 8
598 指出 8
599 个人的 17
600 极差的, 极坏的 23
601 护士 3
602 计算机专家, 信息处理专家 3
603 工程师 3

604 安置, 安装 14
605 小学教员 16
606 有意思的 22
607 没意思的 22
608 邀请 21
609 邀请 19, 20, 21
610 意大利的, 意大利人 3
611 路线 8
612 火腿 11, 12
613 一月 4
614 日本的, 日本人 3
615 花园 13, (从事)园艺 19
616 公园 8
617 从事园艺 13, 19
618 从事园艺 13, 19
619 黄颜色的 5
620 体育活动 17
621 周四, 星期四 4
622 年轻的 6, 15
623 漂亮的 6
624 玩 13, 16, 17, 19, 表演 22
625 球员, 棋手 17
626 (一)天 4
627 报社 3, 报纸 22
628 记者 3
629 白天 4, 18
630 快乐的 20
631 七月 4
632 六月 4
633 孪生的 7
634 直裙 5
635 果汁 12
636 直到 8
637 公斤 6, 12
638 湖 17
639 丑的, 难看的 6
640 羊毛 5, 15
641 牛奶 11, 12
642 乳品的 11
643 灯 14
644 (外)语 16
645 肥大的 5, 15
646 拉丁语 16
647 盥洗池 10, 14
648 洗衣机 14
649 洗 10, 11
650 给自己洗 10
651 洗碗机 10, 14
652 课 1, 16
653 盒式带放音机 1
654 DVD 放映机 14
655 清淡的 23
656 蔬菜 11, 12, 23
657 慢的 9
658 洗衣服 10, 洗衣粉 12
659 字母 1, 信 21
660 起床 10, 起风 18
661 有空的 21
662 学士学位 16
663 路线 9
664 亚麻 5
665 内衣, 棉麻布制品 10
666 阅读, 读 1, 10, 13, 16, 19
667 床 10, 14
668 公升 12
669 一斤, 500, 克 12
670 书 1
671 房客 13
672 住房 13
673 远离 8
674 长的 5, 6, 15
675 沿着走 8
676 出租, 租用 13
677 油腻重, 不易消化 23 • 闷热 18
678 租金, 房租 13
679 星期一 4
680 眼镜 6, (太阳)镜 5
681 高中 3, 8, 16
682 高中生 16
683 洗衣机 14
684 洗碗机 14
685 夫人 2
686 小姐 2
687 商店 3, 8, 12, 15
688 杂志, 画报 19
689 极美的 6
690 五月 4
691 瘦的 6
692 紧身衣, 运动衫 17
693 市政府 8
694 住宅 13, 在家 19, 21
695 小学教师 16
696 坏 2
697 不幸地, 可惜 21
698 马里的, 马里人 3
699 吃 10, 20
700 大衣 5
701 课本, 教材 1
702 化妆 10
703 商人 12
704 步行 17
705 市场, 集市 10, 19
706 走路 19
707 星期二 4
708 丈夫 7
709 结婚, 婚礼 7, 20, 21
710 已婚的 7
711 结婚 7
712 毡笔 1
713 栗色的 5
714 栗子 20
715 三月 4
716 硕士学位 16
717 灰暗的 6
718 比赛 17
719 数学 16
720 材料 5, 14, 15, 课程 16
721 早晨, 上午 4, 10
722 上午 4, 10
723 睡懒觉 10, 19
724 不好的, 差的 19, 22 • 天气不好 18
725 医生 3
726 医学的 3
727 药 12
728 混合 11
729 家务 10
730 做家务用的 11
731 每月一次的 4, 9, 13
732 套餐 23
733 海 17, 21
734 谢谢 2
735 星期三 4
736 母亲 7
737 量, 身高 6
738 金属 14
739 气象学 18
740 职业 3
741 米 6
742 地铁 9, 10
743 导演 22
744 家具 14
745 墨西哥的, 墨西哥人 3
746 中午 4
747 半长的 6
748 瘦长的 6
749 午夜 4
750 分钟 4
751 镜子 14
752 导演, 排演 22
753 无带低帮轻便鞋 15
754 时装式样 3, 流行, 时兴15
755 式样 15
756 现代的 13, 14
757 零下 18
758 月 4
759 零钱 12
760 先生 2
761 山 17, 21
762 上(车) 9
763 纪念性建筑物 19, 22
764 死亡的 7
765 词 1
766 淡菜, 贻贝 23
767 巧克力烘摜奶油 23
768 小胡子 6
769 羊肉 12, 23
770 中等的 6, 中(火) 11
771 铃花 20
772 墙 13
773 成熟的 12
774 博物馆 3, 8, 19, 22
775 音乐家, 演奏家 22
776 音乐 16, 19, 20, 22
777 游泳 17
778 出生 20, 21
779 游泳 17
780 国家的 8, 20
781 国籍 3
782 天然的, 自然的 14
783 班车 9
784 航海 17
785 出生, 生于 4
786 否定的, 负面的 22
787 雪 18
788 下雪 18
789 打扫 10, 洗 11
790 侄子, 外甥 7
791 鼻子 6
792 侄女, 外甥女 7
793 黑色的 5
794 挪威的, 挪威人 3
795 十一月 4
796 云 18
797 多云的 18
798 深浅浓淡的程度 5
799 夜晚, 晚安 2, 4, 10
800 黑蓝色的 5
801 极差的 22
802 义务的 16
803 观察 1
804 照管, 照料 19
805 十月 4
806 眼睛 6
807 蛋 20
808 互送(礼物) 20
809 洋葱 11
810 在阴凉处 18
811 摊鸡蛋 23
812 叔叔, 伯父, 舅舅, 姑夫, 姨夫 7
813 歌剧, 歌剧院 3, 19, 22
814 暴风雨 18
815 有暴风雨的 18
816 橙色 5
817 橙子, 柑橘 11
818 耳朵 6
819 工人 3
820 打开 1
821 椭圆形的 6
822 在市政府正式宣布共同生活而不结婚的 7
823 在市政府正式宣布共同生活而不结婚 7
824 页 1
825 面包 12
826 一双5, 15
827 柚子 11
828 篮球筐 17
829 裤子 5, 15
830 糊墙纸 13
831 包, 盒 12
832 公园 8
833 对不起 2
834 父母, 双亲 7
835 停车场 3, 13
836 说 1
837 一份 12
838 一盘(扑克) 19
839 出发 4
840 乘客 9
841 经过 8, 渡过 19
842 参加(考试) 16
843 动人的, 极有趣的 22
844 漏勺 11
845 片剂 12
846 面条, 花式面 12, 23
847 猪肉糜 12
848 糕点店 12, 糕点 23
849 糕点师傅 12
850 付钱, 付款 12, 13, 15
851 国家 3
852 皮肤 6
853 桃子 11, 12
854 粉刷, 油漆 13
855 上漆的, 上色的, (墙纸) 13
856 画家, 画师 3
857 粉刷, 油漆 13, 绘画 19, 22
858 寄宿生 16
859 寄宿学校 16
860 输 17
861 迷路 8
862 父亲 7
863 圣诞老人 20
864 (学校的)集中自习室 16
865 重 6
866 小的 5, 15, 矮小的 6
867 早餐, 吃早餐 10
868 孙女, 外孙女 7
869 孙子, 外孙 7
870 药房 3, 12
871 药剂师 3, 12
872 照片 1, 14, 摄影 19, 22
873 摄影师 3
874 句子 1
875 身体的 6
876 一出(戏, 话剧) 19, 22
877 房间 13
878 步行 8
879 一撮 11
880 游泳池 8, 17
881 跑道 17
882 壁橱 14
883 广场 8, 座位 22
884 安排座位 22
885 天花板 13
886 高兴, 乐意 2, 21
887 使人高兴 21
888 电热板 11, 14
889 小长方块(黄油) 12
890 塑料 14
891 盘子 11, 一盘菜 12, 23
892 带素菜底的荤菜 23
893 不带气的 23
894 下雨 18
895 铅管管道, 白铁管管道 13
896 管子工 3
897 雨 18
898 下雨的 18
899 长柄平底锅 11
900 一把 11
901 正好 23
902 鞋的号码 15
903 梨 11
904 韭葱 11
905 豌豆 11, 23
906 鱼 11, 12, 23
907 鱼铺 12
908 鱼商 12
909 胡椒 11
910 礼貌, 礼节 2
911 苹果 11, 12
912 土豆 11, 12, 23
913 桥 8
914 猪肉 11, 12, 23
915 门 13
916 吉祥物, 带来好运的东西 20
917 葡萄牙的, 葡萄牙人 3
918 放, 搁 14
919 提(问题) 1
920 可能的 21, 22
921 邮局 8
922 罐 12
923 鸡 11, 12 鸡肉23

924 小费 22, 23
925 灰尘 10
926 方便的, 实用的 9
927 从事 17
928 拿 1, 走 8, 搭乘 9, 买下 15
929 准备 1, 10, 16
930 准备 10
931 靠近 8
932 请 2
933 时鲜的蔬菜水果 12
934 主要的 13
935 春天 4
936 出租车的启动费 9
937 价格 9, 15
938 下一个, 最近的 4
939 产品 11
940 教师 1, 3, 16
941 职业 3
942 节目表 22
943 散步 19, 21
944 散步 19
945 建议, 提出 21, 22
946 干净的 9
947 房主, 物主 13
948 公立中学校长 16
949 套头紧身羊(棉)毛衫 5
950 站台 9
951 四分之一 4
952 地区, 街区 13, 19, 22
953 问题 1
954 排队 19, 22
955 日报 4
956 每日的 10
957 暖气散热装置 13
958 电台 3
959 葡萄 11
960 步行出游 17
961 整理 10, 14
962 快, 迅速 9
963 球拍 17
964 剃须 10
965 失败 16
966 光线 18
967 电影导演 22
968 新的 13
969 接待员 3
970 烹调法 11
971 接待 19, 收到 20
972 被录取的 16
973 再(沿街)向下走 8
974 留级 16
975 考虑 15
976 冰箱 11, 14
977 拒绝 21
978 看 1, 10, 19
979 尺子 1
980 感到遗憾, 抱歉 21
981 杰出的 22
982 感谢 2, 21
983 再(沿街)向上走 8
984 取胜, 赢 17
985 约会 10
986 餐, 饭 10, 20, 23
987 熨, 烫 10
988 重复 1
989 回答 1
990 回答, 答案 1
991 休息 10, 19
992 地区快车, 轻轨 9
993 预定 22
994 住宅 3
995 餐馆, 饭店 3, 10, 19, 21, 22, 23
996 留下, 留(在家) 19
997 成绩 16
998 迟到 10
999 返回 8
1000 变小, 变紧, 缩小 15
1001 再见面 21
1002 聚集, 聚会 20
1003 取得成功 16
1004 睡醒 10
1005 (圣诞或除夕夜)聚餐 20
1006 (圣诞或除夕夜)聚餐 20
1007 返回 8
1008 再见 2
1009 底层 13
1010 窗帘 14
1011 没什麽, 没关系 2
1012 笑 20
1013 河 8
1014 大米 12, 23
1015 连衣裙 5
1016 龙头, 开关 11
1017 圆的 6
1018 烤牛肉 11
1019 玫瑰红的, 粉红的 5
1020 烤肉 11, 12
1021 烤 11
1022 红色 5
1023 公路, 道路 8
1024 红棕色的 6
1025 街 8
1026 乡村风味的 14
1027 包 5, 袋 12
1028 带血的 23
1029 圣人 20
1030 季节 4
1031 生菜拼盘 23
1032 绿叶生菜 11
1033 生菜盆 11
1034 脏的 9
1035 咸的 23
1036 教室 16, 室内座 23
1037 饭厅 13, 14
1038 浴室 10, 13, 14
1039 起居室 13
1040 客厅, 会客室 13, 14
1041 理发店 3
1042 茶室, 茶馆 22
1043 你好 2
1044 星期六 4
1045 凉鞋, 轻便鞋 5
1046 三明治 25
1047 冷杉 20
1048 沙丁鱼 12, 23
1049 香肠, 红肠 12
1050 大红肠 12
1051 鲑鱼 11, 12, 23
1052 肥皂 12
1053 自然科学 16
1054 学校的 16
1055 雕塑 19, 22
1056 使干燥 10
1057 秒 4
1058 秘书 3
1059 起居室 13
1060 盐 11
1061 星期 4
1062 半年 4
1063 半年一次的 4
1064 小路, 小道 17
1065 感到, 感觉 15
1066 九月 4
1067 绷紧的 5, 15
1068 服务员 3, 23
1069 菜端上来了, (菜和... 一齐上) 23
1070 服务费, 服务 23
1071 上菜 10, 为...服务 12
1072 单独的 1
1073 短运动裤 5, 17
1074 世纪 4
1075 睡午觉 19
1076 请 2
1077 简单的 9
1078 糖浆 12
1079 滑雪 17
1080 滑雪 17
1081 姐妹 7
1082 丝绸 5, 15
1083 晚上 4
1084 晚上, 晚间 2, 4, 10, 晚会 21
1085 六十左右 6
1086 地面 10, 13
1087 削价出售 15
1088 鳎鱼 11, 12, 23
1089 阳光 18
1090 果汁冰糕 23
1091 外出 21, 22
1092 出去 10
1093 刮, 吹 18, 吹 20
1094 希望, 祝愿 20
1095 汤 23
1096 银灰色 5
1097 地下室 13
1098 演出 22
1099 观众 22
1100 运动, 体育运动 15, 16, 17, 19
1101 体育运动的, 运动员 17
1102 体育场, 运动场 8, 16, 17
1103 电话总机话务员 3
1104 车站 8, 9
1105 牛排 11, 12
1106 结构 13
1107 摄影棚 3, 单间公寓房 13
1108 特色, 风格 14, 式样 15
1109 服装或家具设计师 3
1110 钢笔 1
1111 糖 11, 12
1112 甜的 12, 23
1113 瑞士的, 瑞士人 3
1114 观看 17
1115 不间断地听课 16
1116 漂亮的 6
1117 高等的 16
1118 超级市场 3, 10
1119 额外部分, 外加部分 9
1120 确定的, 有把握的 15
1121 学监, 监督人 16
1122 厚运动衫裤 17
1123 厚运动衫 17
1124 桌子1, 14, 饭桌23
1125 矮桌子 14
1126 摆上餐具, 摆饭桌 10
1127 黑板1, 画14
1128 一块(巧克力) 12
1129 雀斑 6
1130 身材 6, 尺寸, 号码 15
1131 女式西服套装 5
1132 鞋后跟 5
1133 姨, 婶, 伯母, 舅母, 姑姑 7
1134 地毯 14
1135 晚 10
1136 价格 9
1137 奶油水果馅饼 12, 23
1138 出租车 9, 10
1139 面色 6
1140 打电话 21
1141 电视台 3, 电视 1, 14, 19
1142 温度 18
1143 暴风雨, 18
1144 时间 4, 19, 天气 18
1145 嫩的 12
1146 网球鞋 15, 网球 17, 19
1147 中学的最后一个学年 16
1148 终点站 9
1149 场地, (运动)场 17
1150 平屋顶晒台 13, 露天座 23
1151 在地上 10
1152 车站的头 9
1153 课文 1
1154 茶 10, 22
1155 剧场, 剧院 3, 8, 10, 19, 21, 22
1156 票 9
1157 料子, 衣料 5
1158 车票 9
1159 盥洗室, 厕所 13, 14
1160 屋顶 13
1161 番茄, 西红柿 11, 12
1162 墓, 坟墓 20
1163 早 10
1164 转弯 8
1165 火车 9
1166 无轨电车 9
1167 一片 12
1168 安静的 13
1169 交通 9
1170 公共交通 9
1171 工作, 工程3, 10
1172 做功课 1, 工作 3, 10, 13
1173 穿过 8
1174 季度 4
1175 一季度的 4
1176 悲伤的 20
1177 在, 位于 8
1178 鳟鱼 23
1179 短袖圆领汗衫 5, 17
1180 管 12
1181 青绿色 5
1182 大学的 23
1183 大学 3, 8, 16
1184 城市的 9
1185 工厂 3
1186 厨房用具 11
1187 餐具 10, 11
1188 小牛肉 11, 23
1189 自行车 17
1190 售货员 3, 12, 15
1191 星期五 4
1192 来 3, 21
1193 风 18
1194 杯子 10, 11,一杯之量 11, 23, 玻璃 14
1195 喝一杯(酒) 21, 22
1196 倒 11
1197 绿色的 5
1198 西服上衣, 外套 5
1199 衣服, 服装 5, 15, 17
1200 鳏夫, 寡妇 7
1201 肉类 11, 12, 23
1202 胜利 17
1203 生活 3
1204 老的 13
1205 强烈的 5, 11
1206 难看的, 丑的 6
1207 村庄 8, 13
1208 城市 8, 13, 19
1209 酒 12, 20, 21, 23
1210 醋 11
1211 二十左右 6
1212 紫色的 5
1213 脸 6
1214 参观 21
1215 拜访某人 19, 20
1216 参观 19, 22
1217 快, 迅速 1, 9
1218 窗玻璃 10
1219 玻璃橱窗 15
1220 活, 生活 13
1221 帆船 17
1222 邻座的人, 邻居 1
1223 汽车 10, 8
1224 家禽 12
1225 排球 17
1226 乐意地 2
1227 要, 想要 2
1228 乘客 9
1229 越野自行车 17
1230 盥洗室, 厕所 13, 14
1231 周末 2, 19, 21
1232 酸奶 11, 12

Corrigés des exercices

Chapitre 1, p. 8-9

- **objets :** tableau, cahier, craie, livre, dessin – **actions :** corriger, lire, écrire, épeler, répéter, continuer, écouter, fermer, ouvrir, regarder, comprendre
- **pour écrire :** un marqueur, un cahier, une craie, un crayon, un stylo – **pour lire :** une question, une réponse, un mot, un livre, un dialogue, un texte – **pour regarder :** un livre, un dessin, la télévision – **pour écouter :** une cassette, un dialogue, un CD, une question, une réponse
- 3 – 4 – 7 – 8 – 10 – 12
- **1.** Préparez des questions. – **2.** Travaillez avec votre voisin. – **3.** Ouvrez le livre page **5.** – **4.** Écoutez ce dialogue. – **5.** Apprenez la leçon pour mercredi.
- **2.** a – **3.** e – **4.** h – **5.** b – **6.** d – **7.** c – **8.** g
- **2.** g – **3.** d – **4.** c – **5.** e – **6.** a – **7.** f
- **a. 1.** réponse – **2.** voisin – **3.** texte ; questions – **4.** dialogue – **5.** explication – **b. 1.** regardez – **2.** lire – **3.** écoutez – **4.** prenez – **5.** épeler – **6.** dire

Chapitre 2, p. 12-13

- Bonjour (madame/monsieur/mademoiselle) ; merci ; au revoir, madame ; merci monsieur ; à bientôt ; à tout à l'heure ; excusez-moi ; je vous en prie ; comme c'est gentil ! ; merci, ça me fait très plaisir ; je t'en prie ; non merci ; s'il te plaît.
- **1.** i – **2.** e – **3.** g – **4.** b – **5.** d – **6.** h – **7.** f – **8.** a – **9.** c
- **1.** au revoir ; à bientôt – **2.** merci – **3.** bonne nuit – **4.** pardon ; ce n'est rien
- **1.** b – **2.** a – **3.** a – **4.** b – **5.** a – **6.** b
- **1.** non merci – **2.** pardon – **3.** de rien/je vous en prie – **4.** bonne soirée – **5.** bonsoir – **6.** je suis désolé(e) – **7.** ce n'est rien
- **1.** merci ; merci bien ; je vous remercie. – **2.** pardon ; excusez-moi ; je suis désolé(e) – **3.** bonsoir ; bonne nuit. – **4.** bonsoir

Chapitre 3, p. 16-17

- **nationalité : Q.** Quelle est ta nationalité ? – **R.** Je suis espagnole.// **Q.** Vous êtes française ? – **R.** Non, je suis belge.// **Q.** Et vous, vous êtes de quelle nationalité ? – **R.** Moi, je suis canadienne. – **profession : Q.** Tu es étudiante ici ? – **R.** Oui, je suis journaliste.// **Q.** Tu fais quoi ? – **R.** Je suis ingénieur.// **Q.** Et toi, quelle est ta profession ? – **R.** Je suis informaticien/architecte.// **Q.** Et votre fils, qu'est-ce qu'il fait ? – **R.** Il est journaliste/peintre.
- **1.** chine – **2.** grèce – **3.** europe
- **1.** un, un/une, un, un/une, une (un vendeur) – **2.** un, un, une, un, un/une, un, une (un agriculteur) – **3.** une, un, un, un, un/une, une (un dentiste)
- **1.** secrétaire – **2.** acteurs – **3.** étudiants – **4.** architecte – **5.** serveur – **6.** réceptionniste`
- **1.** dessinateur – **2.** agricultrice – **3.** gardienne – **4.** caissière
- **1.** japonais – **2.** russe – **3.** italienne – **4.** espagnol – **5.** indien

Chapitre 4, p. 20-21

- **heure :** à quelle heure on arrive ; à 6 h 30 ; à 23 h 30 ; Le matin ou le soir ? ; Après treize heures d'avion ; dans la matinée ; à 10 heures **date :** demain ? ; aujourd'hui ; après-demain – **jour :** le mardi (soir) ; le mercredi ; la journée ; jeudi matin ; vendredi – **mois :** en février ; (le mois de) mars, avril, mai et juin ; en juillet – **saison :** en été
- **a.** une seconde, une minute, une heure, un jour – **b.** un jour, une semaine, un mois, une saison, une année – **c.** un mois, un trimestre, un semestre, une année, un siècle
- **1.** samedi – **2.** mardi, mercredi, vendredi – **3.** février, avril, juin – **4.** janvier, mars, mai – **5.** juin, août, octobre – **6.** septembre, novembre, décembre
- **2.** i – **3.** k – **4.** d – **5.** b – **6.** a, b – **7.** a, c, e – **8.** h – **9.** f, j, l – **10.** a, e, k
- Il est... **1.** huit heures et demie ; huit heures trente – **2.** huit heures quarante ; neuf heures moins vingt – **3.** neuf heures quarante-cinq ; dix heures moins le quart – **4.** dix heures cinquante-cinq ; onze heures moins cinq – **5.** onze heures quinze ; onze heures un quart – **6.** midi cinq – **7.** quatorze heures vingt-cinq ; deux heures vingt-cinq – **8.** quinze heures trente ; trois heures et demie – **9.** dix-sept heures quarante ; six heures moins vingt – **10.** vingt-deux heures quarante-cinq ; onze heures moins le quart – **11.** vingt-trois heures cinquante-cinq ; minuit moins cinq – **12.** zéro heure dix ; minuit dix

Chapitre 5, p. 24-25

- **vêtements et accessoires :** costumes, chapeau, robe, gants, sac, ceinture, cravate, chemise, pantalon, veste – **couleurs :** bleu, rouges, jaunes, vert, orange, blanches, jaunes, marron, violet, noir, blanc
- **1.** un chapeau – **2.** un costume – **3.** des sandales
- **1.** bleus, rouge, noirs – **2.** marron – **3.** orange – **4.** blanche, roses – **5.** verts – **6.** blanc, beige
- **1.** petite robe noire – **2.** nouvelles chaussures orange vif – **3.** rouge framboise – **4.** grand foulard jaune et bleu – **5.** belle écharpe verte – **6.** longue jupe marron et beige – **7.** gris clair et bleue
- **1.** une robe en soie, un chapeau, un sac, une ceinture, un gilet, des chaussures à talons, des sandales à talons – **2.** des baskets, une chemise, un short en coton, un jean, une ceinture, des chaussettes, un pull, un blouson en coton – **3.** une écharpe en laine, une chemise, un costume, une cravate, une ceinture, un manteau en laine, des chaussettes, des chaussures noires – **4.** une écharpe en laine, des baskets, une veste courte en laine, un sac, une ceinture, un pantalon en laine/un jean, des chaussures noires, un chemisier – **5.** une robe en soie, une écharpe en laine, un manteau en laine, des chaussures à talons, un sac

Bilan 1, p. 26-27

- 3 – 4
- **1.** Vous pouvez répéter la question s'il vous plaît ? – **2.** Je ne comprends pas l'exercice. **3.** Vous pouvez épeler le mot ? – **4.** Qu'est-ce que ça veut dire ?
- **1.** bonne nuit. – **2.** à lundi – **3.** excusez – **4.** merci, je vous en prie – **5.** volontiers ; non merci
- **phrases possibles : 1.** Vous vous appelez (Tu t'appelles) comment ?/Quel est votre/ton nom ? – Vous êtes (Tu es) belge/française ? – Vous habitez (Tu habites) où ? Qu'est-ce que vous faites (tu fais) dans la vie ?/Quelle est votre (ta) profession ? – **2.** Quelle est votre nationalité ? – Vous venez d'où ? – Qu'est-ce que vous faites à... – Je suis... ; je travaille...
- **1.** vendeuse. – **2.** Elle est caissière. – **3.** Il est instituteur. – **4.** Il est infirmier. – **5.** Elle est serveuse. – **6.** Elle est peintre. – **7.** Il est agriculteur.
- **1.** anniversaire – **2.** date – **3.** prochain, soirée – **4.** dernière – **5.** hiver, mois

- **1.** jours – **2.** ans – **3.** la matinée – **4.** ans – **5.** la soirée – **6.** une année – **7.** soir

- **1.** claires ; vives – **2.** manteau, écharpe ; gants – **3.** robe, élégante, chapeau ; tailleur, chaussures, sac

- **1.** Je cherche une petite jupe noire. – **2.** Elle porte une jolie robe longue. – **3.** Je voudrais des chaussures noires en cuir. – **4.** Aline porte une veste orange et une jupe en laine/Aline porte une veste et une jupe orange en laine/Aline porte une veste en laine et une jupe orange.

Chapitre 6, p. 29-30

- **Angelina :** Elle est superbe ! Elle a entre 25 et 30 ans. Elle est de taille moyenne ; ses cheveux ne sont pas blonds, pas bruns non plus. Elle est magnifique ! Elle a de grands yeux verts, une belle bouche et de jolies dents, elle a un petit nez ; ses cheveux sont un peu bouclés. C'est une fille merveilleuse. – **Mlle Bonnefoi :** Elle a le teint mat, les cheveux courts et blonds, les yeux bleus. Elle est grande et un peu ronde – **M. Dufour :** Il a la cinquantaine, les cheveux un peu gris, une petite moustache, il porte des lunettes. Il est très mince et plutôt grand.

- **2.** grand – **3.** mince – **4.** forte – **5.** fin – **6.** ronde – **7.** gros – **8.** raide – **9.** frisé – **10.** courte – **11.** long – **12.** brun – **13.** blonde – **14.** roux – **15.** âgé – **16.** vieille – **17.** jeune – **18.** sportif – **19.** beau/bel – **20.** laide – **21.** joli – **22.** vilaine

- **2.** blond – **3.** âgé(e) – **4.** court – **5.** mince – **6.** fin – **7.** frisé – **8.** clair – **9.** rond/fort

- **taille :** petite, de taille moyenne, grande – **corpulence :** mince, fine, un peu ronde, un peu forte, grosse

- **Bonne description 1. Marine : a.** grande, mince – **b.** une trentaine d'années – **c.** cheveux mi-longs et raides, brune – **d.** petits yeux noirs, nez long, grosses lunettes – **2. Sophie : a.** petite, ronde – **b.** cheveux longs et frisés, blonde – **c.** grands yeux, pas de lunettes – **d.** taches de rousseur, une quinzaine d'années – **3. Alice : a.** une soixantaine d'années – **b.** taille moyenne, maigre – **c.** cheveux courts et blancs, petites lunettes rondes – **d.** teint pâle, bouche fine

Chapitre 7, p. 34-35

- père, sœur, mère, frère, cousin, grand-père, grand-mère, oncle, ma tante, cousine, cousin, nièce, mari, parents, grand-tante, beau-frère, fils, beau-père

- **a.** la cousine, la tante, le grand-oncle, l'arrière-grand-mère. – **b.** la petite-fille, le gendre, la mère, la grand-mère – **c.** le petit-fils, le fils, le père, le grand-père, l'arrière-grand-père

- **2.** l'oncle – **3.** le gendre/le beau-fils – **4.** la nièce – **5.** la sœur – **6.** la femme

- **1.** a. gendre – b. mère – **2.** a. père, grand-mère – b. femme – c. neveu – **3.** a. belle-fille, fils – b. fille – **4.** a. nièce – b. beau-père – **5.** a. arrière-grand-père, grand-oncle – b. sœur

- **1.** ma demi-sœur – **2.** ma belle-sœur – **3.** mon neveu – **4.** ma belle-fille

- **1.** veuve – **2.** se marier, pacsé – **3.** divorcer

Chapitre 8, p. 38-39

- **noms :** la station de métro, la rue, le jardin du musée, une librairie, l'école, le feu rouge, au carrefour, l'université, la route, l'église, la mairie, le chemin, le moulin – **expressions :** être dans la bonne direction, prenez la première rue à droite, traversez, continuez tout droit, en face, vous tournez à gauche, vous prenez à gauche, vous longez, vous arrivez, vous tournez à droite, vous passez devant, juste en face, il faut combien de temps pour..., à pied, prendre un taxi, c'est à cinq minutes, c'est la bonne route, avant, tourner à droite, pour aller au moulin, retournez jusque, juste après, descendez la rue, (c'est) à 500 mètres, sur la droite

- Voir le plan page 128.

- **1.** une, une, un, une, un, une (une rivière) - **2.** une, une, une, une, un (une autoroute) – **3.** (à pied)

- **2.** a – **3.** f – **4.** d – **5.** c – **6.** b

- **1.** indiquer – **2.** prenez/tournez, traverser – **3.** continuer, prenez/tournez – **4.** retourner – **5.** se trouve

- **1.** entre – **2.** au coin – **3.** au bout, au bord de, de l'autre côté de – **4.** derrière – **5.** en face/au bord ; à – **6.** après – **7.** devant

Chapitre 9, p. 42-43

- **1. métro :** prenez la ligne 9, direction... ; vous descendez à la station... ; prenez la correspondance pour le RER A, direction... ; la station suivante ; un ticket de métro/de RER ; je change à... ; je prends le RER ; le quai – **2. bus :** la navette ; tu descends ; l'arrêt du bus ; tu descends au quatrième arrêt ; l'abribus ; attendre le bus

- **1.** une borne – **2.** un quai – **3.** sale – **4.** indiquer

- **1.** changer, prendre – **2.** monter, attendre – **3.** composter – **4.** contrôler

- **1.** G – **2.** T – **3.** B – **4.** M/B – **5.** T – **6.** M – **7.** M/B – **8.** G

- **2.** g – **3.** d – **4.** f – **5.** c – **6.** b – **7.** a

Chapitre 10, p. 46-47

- se lever, se laver, prendre le petit-déjeuner, prendre la douche, se préparer, se maquiller, se raser, déjeuner, avoir une course à faire, manger un sandwich, prendre un café, lire, rentrer, faire des devoirs, dîner, acheter, avoir du travail, manger, préparer, regarder un film, se coucher, aller au lit

- **matin :** 7 heures : Il se réveille. – 7 h 10 : Il se lève. – 7 h 20 : Il prend le petit-déjeuner, il prend une douche, il se rase. – 9 heures : Il prend le métro. – 9 h 35 : Il arrive au travail. – 10 h 30 : Il prend un café avec une collègue. – 12 h 30 : Il fait une course. – 13 heures : Il déjeune avec un client. – **après-midi et soir :** 14 heures : Il a un rendez-vous avec un client. – 15 h 15 : Il téléphone à un collègue. – 15 h 30 : Il prend un café avec une amie. – 17 heures : Il quitte le bureau. Il prend le métro. – 18 h 30 : Il rentre à la maison. – 20 heures : Il dîne. – 21 heures : Il joue au tennis avec un ami. – 23 h 30 : Il se couche.

- **1.** laver, laver le linge, faire la vaisselle, faire la lessive, laver les assiettes – **2.** nettoyer, passer le balai, faire la poussière, débarrasser la table, passer l'aspirateur, balayer – **3.** ranger la vaisselle, ranger le linge, mettre les choses à leur place, ranger – **4.** repasser

- **1.** laver, balayer – **2.** vitres, poussière – **3.** lessive, repassage – **4.** courses, cuisine, vaisselle, essuies, ranges, repose

- **phrases possibles : 1.** Je déjeune avec une collègue et après, on va prendre un café. – **2.** Je nettoie/débarrasse la table, je fais la vaisselle et tu balaies. – **3.** Je me lève à 7 h 15, je prends mon petit-déjeuner à 7 h 20 puis je prends une douche et je m'habille. – **4.** Je pars/vais au travail à 8 h 30. Je prends le bus pour aller au bureau. – **5.** Je rentre chez moi à 19 heures, je lis le journal puis je prépare la cuisine et ensuite, pendant le repas, je regarde la télévision.

Bilan n° 2, p. 48-49

- petite, grosse (ronde) – âgée – bruns (roux) – longs, raides – petits, foncés, épaisse, gros – mat – laide
- **1.** mon oncle – **2.** mon beau-fils – **3.** ma nièce – **4.** mon gendre/beau-fils – **5.** ma sœur jumelle – **6.** mon arrière-grand-mère – **7.** ma belle-mère – **8.** mon cousin
- **1.** rencontrer, se marier, avoir un enfant – **2.** se pacser – **3.** divorcer – **4.** mourir – **5.** se remarier
- **1.** traversez, longez/remontez/descendez – **2.** allez/continuez, prenez/tournez, arrivez – **3.** prenez/continuez – **4.** retournez, prenez – **5.** allez, prenez
- **1.** ligne, descendez, station – **2.** changer, direction – **3.** carnet – **4.** composter – **5.** arrêt – **6.** borne (station) – **7.** supplément
- **phrases possibles : 1.** rapide mais sale – **2.** économique mais lent – **3.** agréable mais cher
- **phrases possibles : 1.** Je me lève à 7 h 30 et je me couche à minuit. – **2.** Chez moi, mon mari prépare les repas et je l'aide. – **3.** Tous les jours, je fais la vaisselle et je nettoie la table. Je passe l'aspirateur deux fois par semaine et je fais la lessive le samedi. – **4.** Je m'occupe de la lessive et du rangement du linge mais mon mari fait le repassage. – **5.** J'aime bien balayer et faire la poussière.
- **phrases possibles : a.** Il me faut 1 heure 15 pour me préparer le matin. – **b.** Pour aller à mon bureau, je mets entre 35 et 40 minutes. Je prends le bus, c'est agréable. – **c.** À midi, je déjeune dans un petit café à côté de mon bureau. – **d.** Le soir après le travail, je passe au supermarché pour faire les courses. Le mardi, je vais à mon cours de gymnastique. – **e.** La nuit, je dors en moyenne 7 ou 8 heures.

Chapitre 11, p. 52-53

- **1.** une poêle – **2.** une passoire – **3.** un réfrigérateur – **4.** une bouteille – **5.** un couteau
- une pincée, une cuillère, un verre, un bol, un pot, un paquet, un sac
- **1.** le pain – **2.** la cuillère – **3.** le riz – **4.** les yaourts, la crème fraîche
- **2.** b – **3.** g – **4.** a, c, h – **5.** c – **6.** d – **7.** e – **8.** a, h
- **1.** e – **2.** g – **3.** a – **4.** b – **5.** c – **6.** f. – **7.** d – **8.** h

Chapitre 12, p. 56-57

- **quantités :** un litre, un paquet, une tranche, une livre, un morceau, une plaquette, une tablette, une bouteille, une boîte – **produits :** du lait, des céréales, du saumon fumé, une salade verte, des tomates, des pâtes, du fromage, du beurre, une baguette, du chocolat, des fruits, des abricots, des pêches, de l'huile, des sardines, des yaourts (au chocolat, nature), du café
- **1.** un gâteau, un croissant, une baguette, une tarte aux abricots – **2.** des pommes de terre, une tranche de jambon, une plaquette de beurre, des cerises, un savon, des biscuits, des yaourts, des pommes, du lait, un tube de dentifrice, des œufs, un paquet de lessive – **3.** des pommes de terre, des cerises, des pommes – **4.** des comprimés, une crème pour les pieds, un sirop pour la gorge, un savon, des gouttes pour les yeux, un tube de dentifrice – **5.** une tranche de jambon – **6.** une plaquette de beurre, des yaourts, du lait, des oeufs
- **1.** bouteille – **2.** paquet – **3.** pot – **4.** douzaine – **5.** plaquette – **6.** tube – **7.** packs – **8.** boîte – **9.** part – **10.** sac – **11.** livre – **12.** tranches – **13.** tablettes – **14.** morceau
- **2.** a, M – **3.** f, M – **4.** g, C – **5.** e, C – **6.** h, M – **7.** b, C – **8.** d, C – **9.** c, C
- **1.** désirez ; voudrais, donnez ; choisis ; dois ; fait – **2.** sers ; prendre ; désirez

Chapitre 13, p. 60-61

- **2.** c – **3.** a – **4.** g – **5.** f – **6.** b – **7.** d
- **1.** un immeuble – **2.** les murs – **3.** le toit – **4.** l'entrée – **5.** l'escalier
- **1.** grenier – **2.** étage, ascenseur – **3.** fenêtres, balcon – **4.** cour – **5.** jardins – **6.** une cheminée
- **1.** bricoler – **2.** jardiner – **3.** refaire la plomberie – **4.** refaire l'électricité
- **1.** des charges – **2.** achète – **3.** dans des chambres de bonne – **4.** l'électricité – **5.** équipée

Chapitre 14, p. 64-65

- un lit, une table, des chaises, une étagère, une commode, un fauteuil
- **1.** un canapé, une lampe, un bureau, un fauteuil, un tapis, un miroir, une étagère, une table basse, une chaîne hi-fi – **2.** une table, une lampe, un tapis, une chaise – **3.** une lampe, un bureau, un fauteuil, un tapis, un miroir, une étagère, une chaise – **4.** un réfrigérateur, un évier, une table, une étagère, un placard, un lave-vaisselle, une chaise – **5.** une baignoire, un miroir, une étagère, un placard, un lavabo
- **1.** un placard – **2.** une table – **3.** une table – **4.** un placard – **5.** un évier – **6.** une table basse
- **1.** un placard – **2.** une commode – **3.** un lavabo – **4.** un réfrigérateur – **5.** une bibliothèque – **6.** un canapé
- **1.** bureau, commode, armoire – **2.** table, chaises, buffet, télévision, miroir – **3.** bibliothèque, bureau, fauteuil – **4.** baignoire, douche, lavabo

Chapitre 15, p. 68-69

- **1.** la rouge, la noire, longue, mode, courte, à la mode, ton style, elle vous va bien, elle va bien avec, sport, marron, les beiges et les marron, en beige, en marron, joli (modèle), classique, de très bonne qualité, s'élargir – **2.** vous faites quelle taille, du 38, en 38, quelle est votre pointure ?, je fais du 42, trop petites, la pointure au-dessus, trop grandes, en 42 – **3.** en daim
- **1.** mode – **2.** style – **3.** qualité
- **2.** c – **3.** i – **4.** h – **5.** a – **6.** b – **7.** f – **8.** d – **9.** e
- **1.** aider, voir, essayer – **2.** faites – **3.** sentez – **4.** apporte, va, sont, font – **5.** prends, payer
- **2.** a – **3.** h – **4.** e – **5.** f – **6.** b – **7.** c – **8.** d
- **1.** e – **2.** j. – **3.** a. – **4.** f. – **5.** l – **6.** h – **7.** d – **8.** b – **9.** i – **10.** c – **11.** k – **12.** g

Bilan n° 3, p. 70-71

- **1.** Je suis à la boulangerie : « Je voudrais deux croissants, un pain au chocolat et une baguette, s'il vous plaît. » – **2.** Je suis chez l'épicier : « Donnez-moi une bouteille de vin, une plaquette de beurre et un paquet de café, s'il vous plaît. » – **3.** Je suis chez la marchande de fruits et légumes : « Je voudrais des tomates, un kilo, une salade et une livre de fraises, s'il vous plaît. » – **4.** Je suis à la crèmerie : « Donnez-moi des yaourts, un camembert et un pot de crème fraîche, s'il vous plaît. »

- **1.** f – **2.** a – **3.** h – **4.** g – **5.** b – **6.** c – **7.** i – **8.** d – **9.** e
- **1.** ajoutez, versez, mélangez; mettez au four, servez – **2.** lavez, épluchez, coupez; faites cuire
- **1.** g – **2.** h – **3.** b – **4.** i – **5.** a – **6.** d – **7.** e – **8.** c – **9.** f
- **1.** un canapé, deux fauteuils, un bureau, une table et quatre chaises, un tableau, un tapis, un buffet, une table basse, des étagères, une chaîne hi-fi – **2.** un grand lit, un bureau, une commode, une armoire, un tableau, un tapis, une chaise, un miroir – **3.** une machine à laver, un évier, des placards, une cuisinière, un réfrigérateur – **4.** une armoire de toilette, une machine à laver, un lavabo, des placards, des étagères, une baignoire, un miroir
- **1.** bricoler – **2.** repeindre – **3.** ranger – **4.** installer – **5.** décorer, mettre, changer de place – **6.** aménager
- **1.** b, c, e, h – **2.** a – **3.** d, f – **4.** b, c, e, h – **5.** d – **6.** a, b, e – **7.** a, c, h – **8.** d, f, g
- **1.** un petit buffet rustique – **2.** cette longue jupe noire; cette jupe longue noire – **3.** tes nouvelles chaussures beiges – **4.** une grande table basse – **5.** nouveaux placards blancs – **6.** ma vieille jupe rouge

Chapitre 16, p. 74-75

- **verbes:** réviser, rentrer à la fac, être admis, inscrire, entrer au collège – **noms:** un cours, le français, les maths, l'histoire, l'anglais, la prof, l'espagnol, la permanence, les sciences nat, l'éducation physique, le brevet, un examen, le bac de français, la rentrée des classes, la fac, économie, école primaire, le CP, le collège, le latin, en Quatrième
- **1.** f – **2.** a – **3.** e – **4.** c – **5.** b, d
- **1.** le directeur – **2.** Monsieur le proviseur – **3.** un professeur (femme) – **4.** une écolière – **5.** une élève – **6.** un surveillant – **7.** une collégienne – **8.** un lycéen – **9.** une institutrice – **10.** un étudiant
- **1.** la cantine – **2.** le stade – **3.** le pensionnat – **4.** la salle de permanence – **5.** la cafétéria – **6.** la bibliothèque
- 3 – 4 – 5 – 7 – 8 – 9 – 10 – 12 – 13 – 14
- **1.** les mathématiques – **2.** la philosophie – **3.** la psychologie – **4.** l'économie – **5.** les sciences naturelles – **6.** un professeur – **7.** la géographie – **8.** les sciences politiques – **9.** la permanence – **10.** un examen – **11.** le baccalauréat – **12.** la faculté
- **2.** f – **3.** a – **4.** g – **5.** h – **6.** e – **7.** c – **8.** b – **9.** d

Chapitre 17, p. 78-79

- **a. (dial. 1) 1.** du VTT – **2.** au tennis, au football, au volley – **3.** de la gymnastique, de la natation – **b. (dial. 2)** un short, des chaussures de sport et un maillot (bleu)
- **1.** la, le, le, la, le, le, la (le basket-ball) – **2.** un, un, un, un, des, un (un filet) – **3.** un, une, un un, un, une, un, un (un short) – **4.** de la, du, une, un, un, un, une (de la gymnastique)
- **2.** c – **3.** h – **4.** k – **5.** i – **6.** a – **7.** e – **8.** d – **9.** b – **10.** g – **11.** j
- **1.** il joue au football; il fait du football – **2.** elle fait de la natation – **3.** et **8.** il marche; il fait de la randonnée/de la marche – **4.** elle joue au golf; elle fait du golf – **5.** il fait du judo – **6.** il fait du cyclisme/du vélo – **7.** elle joue au tennis; elle fait du tennis – **8.** voir **3.** – **9.** elle skie; elle fait du ski
- **1.** e – **2.** a – **3.** d – **4.** f – **5.** c – **6.** b – **7.** g

Chapitre 18, p. 82-83

- **1. le temps:** couvert, ciel nuageux, pluies fréquentes, le vent soufflera fort, le soleil se montrera, brouillard, il pleut, il va y avoir du soleil, un peu de ciel bleu, le beau temps, avoir de la pluie, les nuages – **2. les températures:** basses pour la saison, ne dépasseront pas 13°, il fait frais, on gèle, il fait chaud
- **1.** nuageux – **2.** le brouillard – **3.** geler – **4.** orageux – **5.** dégagé
- **2.** f – **3.** a – **4.** d – **5.** b – **6.** c – **7.** g – **8.** e
- **1.** brouillard – **2.** arc-en-ciel – **3.** tempête – **4.** orage – **5.** averses – **6.** neige – **7.** éclaircie
- **1.** baisser – **2.** gèle – **3.** souffle – **4.** atteindre/dépasser – **5.** pleuvoir – **6.** brille – **7.** éclate – **8.** dépasser/atteindre

Chapitre 19, p. 86-87

- **1.** faire le marché, visiter un musée/une exposition, aller au jardin, s'amuser dehors, prendre l'air, aller au cirque/au cinéma – **2.** se promener, jouer au tennis, faire le marché, prendre l'air – **3.** se reposer, faire la grasse matinée, lire des magazines, regarder des DVD, préparer le repas, jouer aux cartes
- **1.** s'ennuyer – **2.** la sieste – **3.** la cuisine
- **2.** h – **3.** j – **4.** f – **5.** e – **6.** g – **7.** c – **8.** i – **9.** a – **10.** d
- **1.** cinéma, regarder, sieste – **2.** occupe – **3.** sortir, théâtre, pièce – **4.** cartes, amuse – **5.** courses – **6.** ennuie, bricoler, promener
- **1.** s'ennuient – **2.** prendre mon temps – **3.** voir – **4.** est invité – **5.** la queue

Bilan n° 4, p. 88-89

- **1.** réussi, raté, université, redoubles, licence – **2.** cours, cantine, étudier – **3.** maternelle, instituteur/institutrice, primaire, lycée – **4.** professeur, enseigne, suivent
- **1.** vélo, champion – **2.** perdu, arbitre – **3.** terrain, filet, ballon – **4.** équipe, maillot – **5.** piscine, raquette – **6.** randonnée – **7.** randonnée, short
- **1.** On peut nager, jouer au volley, se promener, faire de la voile. – **2.** On peut jouer au football, au volley, au badminton. – **3.** On peut faire de la gymnastique, du yoga. – **4.** On peut se promener (faire une promenade), courir, faire du vélo, du VTT.
- **1.** Le ciel est gris/nuageux; il y a des nuages. – **2.** Il y a une tempête. – **3.** Il y a une éclaircie, il fait beau. – **4.** Il fait beau, le ciel est bleu. – **5.** Il y a du soleil, le soleil brille. – **6.** Il fait très chaud. – **7.** Il y a de la neige. – **8.** Il fait moins de zéro, il fait très froid.
- **1.** se lève, éclater – **2.** atteindre – **3.** couvert – **4.** baisser, neiger – **5.** pleuvoir, dégagé, arc-en-ciel
- **1.** aller au cirque, visiter un musée, voir un film au cinéma, aller au jardin public – **2.** aller au restaurant, au cinéma, au théâtre, au concert, à l'opéra, au ballet; jouer aux cartes – **3.** regarder la télévision, regarder un DVD, jouer aux cartes, bavarder, écouter de la musique – **4.** faire une promenade, une partie de badminton; jouer au tennis, faire du jardinage

Chapitre 20, p. 92-93

- **a. 1.** Ils vont chez les parents de Claire. – **2.** Ils vont chez les parents de Claire. – **3.** Ils vont chez les parents de Sébastien. – **4.** Ils ont loué un appartement avec des amis à la montagne; ils ont fait la fête. – **b. 1.** Jean propose de déjeuner chez leur mère. *Cadeau:* un chien – **2.** Louise propose d'aller au restaurant et de faire une promenade. *Cadeau:* un appareil photo

1. anniversaire - 2. la musique - 3. recevoir un cadeau - 4. travailler - 5. un examen

2. f - 3. c - 4. a - 5. e - 6. i - 7. g - 8. d - 9. b

1. fêter, offrir - 2. amoureux - 3. faire-part - 4. naissance - 5. souffler - 6. réveillonner, s'amuser - 7. mariage

1. d - 2. e - 3. a - 4. g - 5. f - 6. c - 7. b

Chapitre 21, p. 96-97

1. tu peux venir; j'espère bien que tu seras là - 2. ça va si j'arrive vers 23heures; oui, évidemment - 3. je ne suis pas sûre; quel dommage, j'ai un voyage d'affaires

1. un carton d'invitation - 2. un cadeau - 3. amener

2. a - 3. e - 4. f - 5. d - 6. c - 7. g - 8. b

1. R -2. R - 3. A - 4. I - 5. R - 6. A - 7. I - 8. R - 9. I - 10. A - 11. R - 12. R

phrases possibles: 1. Est-ce que ça te dirait d'aller au cinéma demain soir? Vous aimeriez aller au cinéma demain soir avec moi? - **2.** Oui, avec plaisir, j'adore le jazz./ Quelle bonne idée. - **3.** Oh non, pas le cirque, il va faire beau, allons plutôt à la campagne./ Emmenons-les au jardin. - **4.** Oui, avec plaisir, je dois aussi faire des courses.

Chapitre 22, p. 100-101

proposer: ça te dit; voudriez vous m'accompagner: si vous êtes libre après, je vous emmène dîner - **accepter:** Bon, alors on se fait une soirée ciné; d'accord, ça marche; avec plaisir; vous êtes trop gentil

2. g - 3. i - 4. b - 5. f - 6. c - 7. e - 8. d - 9. a

1. un restaurant - 2. réserver - 3. un café - 4. une spectatrice - 5. un opéra - 6. une discothèque

1. verre - 2. en exclusivité, cinémathèque - 3. critique, mise en scène, joue - 4. boîte - 5. pourboire - 6. entracte

phrases possibles: 1. Le chef d'orchestre est (était) vraiment excellent. - **2.** Les acteurs jouent très bien mais je n'ai pas aimé la mise en scène./mais la mise en scène n'est pas terrible. - **3.** J'ai vu un ballet remarquable: la chorégraphie est excellente/ magnifique et les danseurs sont excellents. - **4.** Ce restaurant est affreusement cher et, vraiment, la cuisine n'est pas bonne/est infecte. Il ne mérite pas sa réputation.

Chapitre 23, p. 104-105

1. plats: une salade César, une entrecôte avec des frites, une assiette de charcuterie, une part de tarte Tatin avec de la glace à la vanille, les hamburgers, des œufs mayonnaise, de la pizza, des yaourts au chocolat - **2. boissons:** une demi-bouteille de Bourgueil, une bouteille d'eau minérale, deux cafés - **3. commentaires:** c'est délicieux, c'est léger, ce n'est pas beaucoup, saignante, il y a la queue, ce n'est pas cher, c'est rapide, il y a le choix, les plats sont équilibrés, c'est bruyant

1. entrées: a, e, j, l - **2. plats:** c, e, f, h, i - **3. desserts:** b, d, g, k

1. cher - 2. infect - 3. servir - 4. un pourboire

1. h - 2. a - 3. b - 4. g - 5. d - 6. c - 7. f - 8. e

1. e - 2. h - 3. c - 4. a - 5. d - 6. f - 7. g - 8. j - 9. k - 10. b - 11. l - 12. i

Bilan n° 5, p. 106-107

phrases possibles: 1. On réveillonne avec des amis; on danse, on mange et on boit tard dans la nuit. - **2.** Oui, je sais: j'ai reçu un faire-part et ils m'invitent avec mon ami. - **3.** Oui, je vais lui offrir un CD de jazz et je vais apporter une bouteille de champagne. - **4.** Je vais acheter un sapin et le décorer avec des boules et des guirlandes. Et je vais cuisiner un bon repas, avec une dinde aux marrons; je vais aussi acheter une bûche de Noël.

phrases possibles: 1. Oh oui, avec plaisir, j'adore aller au bord de la mer! C'est une excellente idée. - **2.** Non, je regrette mais ce soir, je dois travailler chez moi. J'ai un examen de français demain. Mais on peut aller au ciné demain soir, si tu veux. - **3.** Oh oui, j'adore Raphaël. C'est une excellente idée! - **4.** Non, je regrette mais je ne suis pas libre dimanche: je dois aller voir ma tante à l'hôpital. Mais une autre fois, si vous voulez!

phrases possibles: 1. Oh, comme c'est gentil, elles sont magnifiques! - **2.** Oh merci, c'est vraiment gentil mais je ne peux pas venir à votre fête: je dois partir en province pour mon travail. Passez une bonne soirée. - **3.** Oui, écoute, j'ai un problème pour ce soir: deux amis arrivent d'Italie. Est-ce que je peux les amener ce soir?/Est-ce qu'ils peuvent venir avec moi? - **4.** Écoute, je voudrais offrir un petit cadeau à tes parents. Qu'est-ce qui peut leur faire plaisir, des fleurs, des chocolats?

phrases possibles: 1. J'aimerais faire un pique-nique à midi. Ça te dit? - **2.** Est-ce que ça te dit de venir avec moi au cinéma cet après-midi? Je vais voir *Piaf*. - **3.** Est-ce que tu aimerais aller en discothèque samedi soir? - **4.** Aimeriez-vous m'accompagner au théâtre demain soir? Je vais prendre des places. - **5.** J'ai envie d'aller voir l'expo Matisse ce week-end, ça te dit? - **6.** Nous fêtons le 4 mai nos vingt ans de mariage. On a réservé dans un restaurant. Vous pourrez venir avec les enfants?

choisi - menu, plat - désirez, entrée - servi - boisson - bouteille

phrases possibles: 1. Excusez-moi mais je pense qu'il y a une erreur: 18 euros, c'est trop cher; j'ai pris seulement un sandwich, une bouteille d'eau et un café. - **2.** Le poisson était vraiment délicieux. Félicitez le cuisinier; je vais bientôt revenir avec des amis. - **3.** S'il vous plaît, monsieur, j'aime le steak bien cuit. Pouvez-vous le rapporter à la cuisine? - **4.** Pardon monsieur, mais je n'ai pas demandé une salade du chef; j'ai commandé une assiette de charcuterie. Est-ce que vous pouvez la changer?

Chapitre 8, Exercice 2, *p. 38*

Dépôt légal : septembre 2013
Achevé d'imprimer en France par Clerc
18200 Saint-Amand-Montrond
N° de projet : 10225189 - Imprimé en avril 2016